Best

人生を変える

哲学者の言葉123

アバタロー

書評YouTuber

きずな出版

はじめに

『人生を変える　哲学者の言葉123』を手に取ってくださり、どうもありがとうございます。本書は哲学者をはじめ、宗教家、心理学者など、古今東西の偉人たちが残した名句をおさめ、それに解説と関連知識を加えたものです。人間関係、仕事、お金…人生のあらゆる悩みを吹き飛ばし、心の傷を癒してくれるような、強くて優しい言葉を厳選しました。

　本書は、1ページ完結の形式になっているため、どこから開いてもかまいません。いまのあなたに必要な名言が載っているページを開いてみてください。

　ページによっては、反対のことを伝えているかもしれません。しかし、あえて多様な名言を選びました。100人いれば、100通りの生き方があるように、どれを大切にするかは、あなた次第です。

　ここに綴られている言葉たちは全て、歴史の風雪に耐え抜いてきた本物の知恵であり、いわば「言葉の世界遺産」です。それぞれの金言が放つ美しい輝き、独特の深み、心地よい響きを是非ご堪能ください。

　あなたの旅が、良いものになりますように。

第1章　モチベーションを上げてくれる言葉

第2章　思考を深める言葉

第**4**章　知性を磨く言葉

第6章　新たな気づきを得る言葉

モチベーションを上げてくれる言葉

ブレーズ・パスカル

フリードリヒ・ヴィルヘルム・ニーチェ

デイヴィッド・ヒューム

親切にしなさい。あなたが会う人はみんな、厳しい闘いのだからプラト

事実というものは存在しない。存在するのは解釈だけである。

貪欲は勤勉の鞭である

鳥は飛び、魚は水に泳ぎ、人間は考える

性質はおのずから異なる客体

の習慣は、どんな習慣にもなじまないということだジャン・ジャック・ル

第 **1** 章

どんな人も、どんな人生とかいう意味がありますが

言葉を大事にするということが、自分を大事にするということなんだ 池田晶子

ある彼れを知り己これを知らば百戦して殆うからず 孫子

生きるとは
呼吸することではない。
行動することだ

混沌とした
時代にこそ、
懸命に生きろ

ジャン・ジャック・ルソー

私たちは行動に移す前に、やらない理由など、あれこれ考えてしまうものです。しかしルソーは「生きていることを実感するには行動あるのみ」だといいます。彼は放浪生活をしていた後、懸賞論文で『学問芸術論』を投稿し、それが当選したことで一気に論壇の中心的存在になりました。まさにルソーとは行動の人だったのです。

KEY WORD

啓蒙主義

18世紀ヨーロッパで起こった、中世的な思想や慣習を打ち破り、近代的・合理的な知識体系を打ち立てようとした思想。ルソーやディドロ、ヴォルテール（39ページ）ら啓蒙思想家は、強烈な社会批判を展開し、旧態依然とした体制や既成概念を壊すことで、新しい社会を目指しました。こうした背景には、フランス王朝の財政破綻、ナントの王令廃止によって社会が大きく混乱していたことが挙げられます。また、ディドロやヴォルテールらと親交を持ったロシアのエカチェリーナ2世やプロイセンのフリードリヒ2世は影響を受け、啓蒙君主を志しました。

フリードリヒ2世はヴォルテールを自国へ招くも、
結果的に「啓蒙専制君主は絶対君主よりも酷い」と評されてしまいました。

初めに人が習慣をつくり、
それから習慣が人をつくっていく

天性は習慣で
補える

ジョン・ドライデン

"変わり身の早さ"で知られる、天才詩人ドライデン。彼はクロム
ウェル*1 に仕えた後、チャールズ2世が即位した際にも祝福の詩を
送ったといいます。一見、節操がないようにも思えますが、こういっ
た人たらしの習慣が彼の地位と名声を築きあげたのです。

KEY WORD

ド
ラ
イ
デ
ン
の
活
躍

ドライデン（1631-1700年）はイギリスの詩人、批評家、劇作家。
ケンブリッジ大学卒業後、1654年に共和政政治の文官として働
き、クロムウェルが亡くなった際には、最初の詩作である『英
雄的スタンザ』にて彼を称えました。しかし1660年、王政復古
によって共和政が崩壊し、君主制が復活。転じて、彼はチャー
ルズ2世を称賛する『正義の女神の帰還』を献上します。この変
わり身は「節操が無い」という評価を受ける事もありますが、彼
はこの後、「桂冠詩人」を授与されるなど、詩人・劇作家として
圧倒的な地位を確立することになるのです。

安全を求める思いと、
偉大で崇高な冒険とは
相いれない

変化への情熱
を失うな

コルネリウス・タキトゥス

争いやトラブルが一切なく、安全や安定を維持できるのは素晴らしいことです。しかし、発展的な思考を諦め、現状を維持することばかりに注力していては、次なるステージに進むことはできません。明るい未来をつかみ取るためには、ある程度リスクをとる覚悟が必要です。

KEY WORD

タキトゥスは55〜120年頃の帝政ローマ期を生きました。もともと騎士身分の出身で、政治家、歴史家、作家として幅広く活躍し、同時代にはセネカ（153ページ）がいます。紀元前、ローマでは多くの戦争が起こりましたが、彼が生きた時代は、長く平和が続いた奇跡の200年として"パクス・ロマーナ"と呼ばれます。しかし、タキトゥスは「この平和な時代がローマ帝国の衰退に繋がるのではないか？」と危惧しており、著作で共和政時代の気風の回復を訴えました。実際パクス・ロマーナ以後、ローマ帝国は衰退し、東西に分裂してしまいます。

タ
キ
ト
ゥ
ス
の
功
績

一羽のツバメが
春をもたらすのではない

継続は力なり

アリストテレス

「努力の結果はすぐ出るものではなく、継続してこそ成果が出るもの」と、この名言は教えてくれます。成果をすぐに求めてしまう私たちに対して、釘を刺すような厳しい言葉にも思えますが、むしろ自分が苦しい状況にある時、力をくれる名言かもしれません。今は結果に繋がらなくとも、「いずれは実が成る」と言い聞かせ、焦らず継続していきましょう。

KEY WORD

アリストテレスの生涯

アリストテレス（前384-前322年）は、古代ギリシャの哲学者。プラトンの弟子にあたりますが、彼とは異なり、現実主義的な立場をとった事が特徴です。また、マケドニアのアレクサンドロス大王の教育にもあたりましたが、その後アテネに戻り、リュケイオンという自分の学園を開きました。しかし、アテネで反マケドニア運動が起こったことで、アテネから追放され、母の故郷・エヴィア島で没します。『ニコマコス倫理学』を始め、数々の名著を残したアリストテレス。彼の思想は、のちに中世ヨーロッパで大論争を巻き起こすこととなります。

人間は行動によって
何かになるのだ

自由と責任

ジャン・ポール・サルトル

実存主義（68ページ）を代表する哲学者サルトルは、「人間にはあらかじめ定められた本質や目的はない」と主張しました。人間は元来"無色"だからこそ、何色になるかは自らの手によって決まります。他の誰かや社会が、自分の人生を決めるわけではありません。その人が行ったことが、その人自身をつくり上げていくのです。

KEY WORD

サルトルの活躍

サルトル（1905-1980年）は、フランスの哲学者、作家。斜視で背が低かったサルトルは、自らの容姿に劣等感を抱きながらも、美女に告白してはフラれて、の繰り返しでしたが、めげずに挑戦を続け、ついには大学のマドンナ、ボーヴォワールと結婚します。その後、『存在と無』を発表するなど、実存主義の中心人物に。当時、巷のカフェでは哲学論議が交わされていましたが、その人たちのヒーローがサルトルでした。ニーチェの「神は死んだ」という言葉に代表されるように、絶対的価値がない時代において、迷える人々を導いたのがサルトルだったのです。

第二次世界大戦で兵士として召集され、捕虜になりましたが、
偽の身体障害証明書をつくり、解放されました。

人を愛するということは、なんの保証もないのに行動を起こすこと

愛に飛び込め

エーリッヒ・フロム

この名言の後には、「こちらが愛せばきっと相手の心にも愛が生まれるだろうという希望に全身をゆだねることである」と続きます。つまり愛することは、相手から愛されることを期待して待つことではなく、自ら愛し、相手の心に能動的に働きかけることなのです。

KEY WORD

社
会
心
理
学

エーリッヒ・フロム (1900-1980年) は、社会心理学、精神分析、哲学の研究者です。社会心理学とは、心理学の一つであり、複数の人間が関わって生じる心理現象や行動の特性について研究する学問です。テーマは大きく四つに分かれており、「社会の中での個人の心理」「個人の対人認知」「集団における人間行動」「社会現象」があります。ちなみにネットニュースなどでよく目にする"確証バイアス""認知的不協和理論""正常性バイアス"などは、社会心理学の用語になります。

つねに近道を行け。
近道とは
自然に従う道だ

内なるものの
声を聞け

マルクス・アウレリウス・アントニヌス

彼が敬愛するストア哲学（106ページ）は「自然（宇宙を支配する理性）と合致して（同じ理において）生きること」ことを生きる目的としました。つまり、幸福に近づくためには、自然、理性、良心、これを常に守り抜くことに全力を注ぐべきと考えられていたのです。地位や財産など、人為的なものばかりに目を向けすぎてはいけないのかもしれません。

KEY WORD

アウレリウスの生涯

アウレリウス（121-180年）は、3歳で実父を亡くすも、同郷のハドリアヌス帝に寵愛を受けたことで、出世コースを昇っていきます。彼は妻との間に14人の子どもがいましたが、成人まで生きた子は6人のみ。男子で唯一成人したコンモドゥスは、後にローマ史に残る暴君として語られます。本来は哲学者になりたかった彼ですが、ローマ皇帝になったことで、戦が頻発する混乱期に翻弄されました。そんな思い通りにならない出来事に直面しても、運命を受け入れ、己に対して言葉を贈り続けた証が『自省録』（129ページ）として語り継がれることになりました。

長期化したマルコマンニ戦争中、アウレリウスはコンモドゥスに位を移譲し、陣中で病没しました。

ゆっくり急げ

急がば回れ

アウグストゥス

気持ちが焦っていると、かえって物事がうまく進まないことがよくあります。急いでいる時ほど、ゆっくり確実に進むようにすれば、むしろ目的地に早く辿り着くものです。「ゆっくり」は、決して後ろ向きな言葉ではありません。少しずつ着実に進むことが、結果的に「急ぐ」ことに繋がるのです。

KEY WORD

ローマ帝国

紀元前27年、古代ローマの共和政から、帝政ローマに移行するタイミングでローマ帝国は始まります。初代皇帝は、ユリウス＝カエサル（126ページ）の養子アウグストゥス。ローマ帝国は、五賢帝時代（50ページ）に最盛期をむかえます。その後、徐々に衰退していき、ミラノ勅令（313年）でキリスト教を公認することにより帝国統治を図るも、東西に分裂。西ローマ帝国は476年に滅亡してしまいますが、東ローマ帝国はなんと1453年まで続くことになります。

いつかできることは
全て今日もできる

未来じゃない、
今なんだ

ミシェル・ド・モンテーニュ

いつかやればいい。そう思って動かないのが人間の性というもの。この問題を乗り越える、最もシンプルで確実な方法は"今やる"ということです。未来の自分に期待するのではなく、今の自分を動かすのです。いつかできることは全て今日もできる。この言葉を胸に刻んだら、今すぐ動き出しましょう。

KEY WORD

モンテーニュと懐疑主義

モンテーニュ（1533-1592年）はフランスの作家・思想家で、彼が生きた16世紀は宗教戦争の真っ只中にありました。裕福で平和的な家庭で育ったモンテーニュは、人々が争う様子を悲しみ「なぜ人間同士が、こんなにも争ったり、残虐な行為をするのか」と、疑問を持つようになります。そして彼は、その要因の一つに人間の偏見や独断的思考があることを指摘。さらに、自分が正しいと思いこむのではなく、物事を常に疑い、独りよがりの思考を避けて真理を追求することが大切だと主張しました。このような考え方のことを「懐疑主義」といいます。

　モンテーニュの代表作である随筆『エセー』は「エッセイ」の語源となっています。

何事にも耐えられる者は、
何事も思い切ってできる

耐えられる
人は、真の
挑戦者だ

リュック・ド・クラピエ・ド・ヴォーヴナルグ

挑戦には、トラブル、失敗、挫折などがつきものです。それらを恐れたり、嫌がったりしていれば、何も得るものはないでしょう。一方、苦しみを当たり前のように受け入れ、耐えることができる人は、挑戦を止めない限り、いつか大きな戦利品を手にします。情熱によって恐怖心を制圧し、夢や目標に向かって果敢にチャレンジしていきたいものです。

KEY WORD

ロマン主義

ロマン主義とは、18世紀末から19世紀前半にかけて、ヨーロッパに興った精神運動の一つです。それ以前のヨーロッパでは、理性や合理性に重きを置いた古典主義が主流でした。ロマン主義は、それに対抗する新しい概念として誕生し、想像力や感性、人々の主観といった心理的な性質を重視しました。その影響は文学のみにとどまらず、美術・演劇・音楽など多岐にわたります。ロマン主義に影響を受けた主要な人物として、ルソー（16ページ）やゲーテ、ユゴー（小説家）、ドラクロワやゴヤ（画家）、シューベルトやショパン（音楽家）などが挙げられます。

人を愛するは、周（あま）ねく人を愛するを持ってしかる後人を愛すと為す

> 偏りのない
> 愛で
> 平和な社会を

墨子

「人を愛するということは、全ての人を愛する事」というこの名言は「一人を愛さないという事は皆を愛さない事」とも捉えられます。愛とは、家族や恋人など限定的な対象に向けられるものと思われがちですが、それでは対象から外れた人やモノについては「愛さなくてよい」という考えに繋がります。平和な社会を築くために、皆を同じように愛することが必要なのです。

KEY WORD

兼愛（けんあい）

墨家の開祖・墨子は、全ての人を自分と同じように愛することで、戦争を終わらせ平和な社会をつくろうとしました。対立や不平等が生まれるのは他人をそれぞれ区別するからであり、家族の愛を重視する儒家の思想を「別愛である」と非難しました。墨子は紀元前5世紀から4世紀に生きた人物で、戦国時代の魯に生まれたと伝えられています。戦乱の世の中で「兼愛」と「非攻」という理想を掲げるだけではなく、大国から攻められた城の防衛に行くなど行動も起こしました。

武士道と云うは
死ぬ事と見付けたり

精神的な死は
活力になる

山本 常朝

江戸時代を生きた佐賀藩士・山本常朝が説く有名な言葉ですが、「死」は「実際に死ぬ」ということを意味するのではなく「死んだ気になること」を指します。つまり、何事も死んだ気で臨めば、自由な気持ちになることができ、仕事もうまくいくという意味に捉えることもできます。

KEY WORD

武士道

武士道は、江戸時代以降確立された武士階級の倫理規範・道徳で、知識よりも行動を重視します。そして、この武士道は「義・勇・仁・礼・誠・名誉・忠義」の七つで構成されています。義とは道理に任せて決断すること。勇とは正しいことをすること。仁とは愛など他者への同情。礼とは他人に対する思いやりを眼に見える形で表現すること。誠とは嘘をつかず誤魔化さないこと。名誉とは個人の尊厳であり最大の善。忠義とは主君に対する忠誠心のこと。これらを知識として取り入れるのではなく行動で示すのが「武士道」なのです。

汝の道を行け。
而して人の語るにまかせよ

> 自身の信念に
> 生きよ

カール・マルクス

文学を愛したマルクスが、ダンテ（154ページ）の『神曲』から引用した名言です。人間、生きるのは一度きり。人が言うことを気にしている暇はありませんし、他人に従い、自らが納得できない結果になってしまったとしても、誰もあなたの代わりに責任はとってくれないのです。経済学者・哲学者でありながら、革命家でもあったマルクス自身を象徴するような言葉です。

--- **KEY WORD** ---

マルクスの生涯

マルクス（1818-1883年）は、ドイツの経済学者、哲学者、革命指導者。父の勧めで、ボン大学で法律を学びますが、在学中にヘーゲル（55ページ）に傾倒し、歴史と哲学への関心を深めていきました。その後、ベルギーにおいて、社会思想家のエンゲルスと1848年に『共産党宣言』をまとめ、唯物史観（29ページ）を提唱。同年、ドイツで起こった三月革命に参加するも挫折し、イギリスに亡命します。そして、亡命先のイギリスで20年近くかけ完成させた『資本論』は、後に全世界中に影響を与える共産主義のバイブルとなっていくのです。

亡命により生活が困窮しており、マルクスは三人の子どもを失うことになりました。

哲学者たちは世界をさまざまに解釈してきたにすぎない。重要なことは世界を変えることである

たまには考えすぎずに動いてみよう

カール・マルクス

『資本論』によって実際に世界を変えた経済学者マルクスが、当時のドイツ哲学に警鐘を鳴らした言葉。何か目的がある時「どんな心構えでやるか」も大切ですが、それ以上に重要なのは行動に移してみることです。なぜならどれだけ心構えが素晴らしくても、そこに行動がなければ、何も変化が起こらないからです。

KEY WORD

唯物史観

ドイツの哲学者であるライプニッツ（109ページ）やヘーゲル（55ページ）は、人間の精神の働きが歴史を動かしてきたという「唯心論」を唱えました。その一方、マルクスとエンゲルスは「唯物史観」を主張しました。「唯物史観」とは、物質的な生産手段や生産能力、資本家と労働者の関係に代表される「生産関係」こそが、歴史を大きく動かしてきたのだと考える歴史観です。つまり、宗教や哲学などの「意識」は人間の生活の土台ではなく、生産と経済的構造が先立ち、後からそれにふさわしい法律・政治、及び精神的な文化が生まれると考えたのです。

生産力が増大する一方で生産関係は固定化されたままになり、それが原因で階級闘争が起こるとマルクスは予測しました。

天は
自ら助くる者を助く

人生は自分の
手でしか
開けない！

サミュエル・スマイルズ

自助の精神は、人間が真の成長を遂げるために必要です。自助とは「勤勉に働き自分自身で運命を切り拓くことである」とスマイルズは説きます。自分の幸福や成功を追求することを利己的な活動としてネガティブに捉える必要はありません。なぜなら自らを助けることは、結果として自分以外の人や社会を助けることでもあるからです。

KEY WORD

『自助論』（『西国立志編』）

『自助論』は、1858年に出版された本です。その後1971年に、中村正直（なかむらまさなお）により『西国立志編』（さいごくりっしへん）として、日本語訳が国内に広まりました。福澤諭吉（88ページ）の『学問のすゝめ』と並び、若者たちに広く読まれ、明治維新後の近代日本の形成に大きな影響を与えたといわれています。当時、日本で100万部以上も売れた『西国立志編』は、ウォルター・スコット、フランシスコ・ザビエルなど様々な偉人のエピソードをヒントにして、どのように自分の夢を実現したか、その方法をテーマ別でまとめた実例集です。

1872年から1880年まで『西国立志編』は、教科書として使用されました。

苦難と死こそが人生を
意味のあるものにする

あなただけの
運命を
楽しもう

ヴィクトール・エミール・フランクル

自分が感じている苦悩は、他の誰かと比較できないものです。一人ひとりの人間が、この世界で唯一の存在であるように、その人が抱える苦悩も死も、本人だけのものであり、本人以外味わうことはありません。このような生の限定性が、私たちに"生の意味"を考えさせるのです。

KEY WORD

『それでも人生にイエスと言う』

当書は、著者のフランクルがナチスの強制収容所から解放された翌年に、ウィーンの大学で行った講演の記録集。「人生にはいかなる状況下でも意味があること」「身体的心理的な病の下にあってもその意味を奪うことはできないこと」「強制収容所の収容される運命にあっても、人生から意味を奪うことはできないこと」という三つのテーマによって構成されています。いかなる状況に置かれても、自分の人生に「イエスと言うことができる」という無条件の人生肯定の立場が説かれており、先行きの見えない世界を生きる現代人を大いに勇気づけてくれる作品です。

求めなさい、そうすれば与えれる。
たずねなさい、そうすれば
見つかる。門を叩きなさい、
そうすれば開かれる

> 願い、行動し
> 続ければ
> いつか叶う

イエス・キリスト

このイエスの教えは「願えば叶う」といった、受動的な意味で用いられることが多いようです。しかし、この文の最後には「人にしてもらいたいと思うことは何でもあなた方も人にしなさい」とあり、自ら世界に対して能動的に働きかけることの大切さも説かれているのです。

KEY WORD

キリストの生涯

イエス・キリストは、キリスト教の始祖として、世界中で信仰の対象とされています。母マリアの子として生まれ（生誕年不明）、30歳の時に洗礼者ヨハネに弟子入り。後に四十日間の断食を行い、宣教活動を始めます。イエスには多くの支持者がいましたが、その教えはユダヤ教に対して異を唱えるものでした。そして34歳の時、神を冒瀆したとしてはりつけの刑にされ死没するも、埋葬されてから三日目に復活したといいます。復活した期間は、福音書によって相違がありますが、復活したことで自身が神の子であることを証明し、天に上ったと伝えられています。

　「キリスト」という言葉は、本来「油を注がれた者」という意味で、
固有名詞ではありませんでしたが、やがて名前として定着しました。

何も打つ手がないときにも、ひとつだけ必ず打つ手がある。それは、勇気を持つことである

No Image

まだ打つ手は
残されている

ユダヤの教え

この名言は、モーセの口伝をまとめた『タルムード』に登場する言葉です。「自分にはもう何も残されていない」と感じた時でも、あなたには "勇気を持つ" という選択肢が残されています。身も蓋もない助言かもしれませんが、成功も失敗も、やってみなければわかりません。また、諦めることも勇気といえます。打つべき手がないのなら、腹をくくって決断しましょう。

KEY WORD

ユダヤ教

ユダヤ教は主にユダヤ人が信仰している民族宗教で、教典は『旧約聖書』です。ユダヤ人こそ神に選ばれた民族とする「選民思想」が特徴で、起点の一つには前13世紀頃の「モーセの十戒」があります。当時から現在までユダヤ人の歴史は迫害と追放の繰り返しであり、その反動で19世紀頃シオニズム運動が盛んになりました。また、ユダヤ教は "世界最古の宗教" といわれており、キリスト教（158ページ）とイスラム教（77ページ）も遡れば、ユダヤ教にたどり着きます。神の呼称こそ違うものの、同じ唯一神を崇めています。

ユダヤ人の祖ヤコブが「イスラエル」の名を授かったことで、ユダヤ人全体が「イスラエルの民」とも呼ばれます。

死への絶望なしに、
生きることへの愛はありえない

生きていること
に感謝しよう

アルベルト・カミュ

自然科学の発展によって、現代を生きる私たちにとって「死」は疎遠なものとなりつつあります。しかし、世界を直視した時、死はいつだって私たちの真横にあり、むしろこの瞬間も「生が存続している」ということが奇跡なのだと気づかされます。メメント・モリ、すなわち死を思うことこそ、私たちの生を瑞々(みずみず)しくするのです。

KEY WORD

不条理の哲学

私たちは自分の人生をコントロールしたいと強く望むものです。しかし、人生はどうにもならないことであふれており、時に私たちはその理不尽に絶望します。カミュは、『異邦人』『カリギュラ』『誤解』といった作品を通し、そんな世界の中で「人生の意味」を問い続けました。そうして彼は「不条理で無意味な人生を、不条理なまま生き通す」という答えに辿り着きますが、そのことは私たちに希望を与えてくれます。なぜなら人生が無意味だということは、わたしたちを"有意義性"の幻想から解放し、自分なりの意味を見出す自由に開いてくれるからです。

研究への衝動は諸哲学からではなく、ものごとや諸問題から生じなければならない

> 研究は問題解決のためにある

エドムント・フッサール

現実をありのままに「認識」することを目指し、現象学を体系化したフッサール。その考えは後世の賢人たちに多大な影響を与えました。難解な学問ではありますが、思考の原点は「存在するもの」に他なりません。それまで人間がつくりあげた科学的な「知」すらも仮説にすぎず、実践的な人間の生活世界においてのみ、真の価値を発揮するのです。

KEY WORD

現象学

フッサールは現象学を打ち立てたことで知られていますが、元々は数学者でした。彼の哲学は数学の公式のように、人の「認識」の中で真に客観的で普遍性のあるものを丁寧に考えました。例えば、目の前にコップがある場合、「視覚がコップをつくり出している→コップが存在する現象が出来上がる→コップが目の前にあることを理解する」という流れで考えます。つまり、「現象をつくり出すのは人間の認識」という前提に基づき、客観的事実を並べることで、課題を解明していきました。このように「ありのまま」を記述しようと試みた学問が「現象学」なのです。

ブレーズ・パスカル

デイヴィッド・ヒューム

フリードリヒ・ヴィルヘルム・ニーチェ

ジャン・ジャック・ルソー

親切にしなさいさいしょに会いをしてあなたが会うみんな、厳しい闘いのだから

貪欲は勤勉の鞭であるプラト

鳥は飛び、魚は水に沈み、その性質はおのずから異なる空海

事実というものは存在しない存在するのは解釈だけである。

いつかできることはすべて

人間は、どんな習慣にもなじまないという習慣の

思考を
深める言葉

第 **2** 章

言葉を大事にするということが、自分を大事にするということなんだ　池田晶子

彼れを知り己れを知らば百戦して殆うからず　孫子

ヴィクトール・エミール・フランク

復讐す

人は、人と人とのつながりの中で生きていく生き物である

理性こそが
人をつなぐ

バールーフ・デ・スピノザ

私たちは時に、妬み、恨み、強欲といった負の感情に囚われた結果、自分の権利を主張し他人に危害を与えてしまうことがあります。しかし、私たちには理性があります。支えあって生きてくためには、理性によって相手を思いやり、互いが安全な存在として共存していかなければなりません。

KEY WORD

想像知・理性知・直観知

「想像知」とは、世界を見たまま、聞いたまま自分の感覚のみで捉えた世界。「想像知」についてデカルトは、世界を受動的に受け入れるだけの知とし、基本的には誤った認識と捉えました。一方、「理性知」とは、一つ一つの物事を相互に関連したものとみなし、「物事とは偶然的なものでなく必然的なもの」と認識することを指します。そして、「直観知」とはすなわち神の認識です。それぞれ個々の物全てが神によって存在し、神と一つになっていることを認識できる知のことで、デカルト曰く理性知と直観知のみを正しい認識としました。

スピノザは、ポルトガル語の家庭で育ち、学校ではヘブライ語、日常ではオランダ語を話し、本はラテン語で書いたマルチリンガルでした。

人間は
その人の受け答えだけではなく、
その人が発する問いによって
判断すべきだ

> 「問い」にこそ
> 人間性が出る

ヴォルテール

人間性を判断するには、その人が「何を疑問に思い、どんなことに関心があるか」を重視すべきなのかもしれません。実際、正しいとされる"模範解答"の受け答えは、巷ですでに紹介されています。しかし、事実をもとに、そこから何を問題とするかは、自分の頭で考えださなければなりません。そのような姿勢にこそ、人間性がよく表れるのでしょう。

KEY WORD

宗教的寛容

「宗教的寛容」とは、自らの信仰以外の宗教も理解・許容すべきという考えのことをいいます。ヴォルテールが生きた18世紀のフランスでは、キリスト教（カトリック）的価値観で国家が動いていました。そんな中、啓蒙活動家（16ページ）としてヴォルテールは、宗教的寛容を唱えました。これは一神教のカトリックにとっては認めがたい考えでしたが、一般市民には受け入れられ、社会に広く浸透していくことになります。そしてヴォルテールが亡くなってから10年後、彼の思想に影響を受けた市民たちの手によって、フランス革命が勃発するのです。

向き合わなかった問題は、
いずれ運命として
出会うことになる

> 問題の先送り
> には注意せよ

カール・グスタフ・ユング

問題と気づいていながら向き合わずに先送りにしたとしても、遅かれ早かれ、解決しなければならない日がくるものです。さらに放置していた時間が長ければ長いほど、問題はより大きく、複雑になっていることもあります。仕事、健康、恋愛…こういった人生の大切な局面で悲劇が起こらないよう、"問題の先送り"には十分に注意しましょう。

KEY WORD

集合的無意識

個人の体験による無意識のもっと奥底に存在する、人類全体に共通する普遍的な無意識の領域のこと。精神科医であったユングは、患者が何気なく描く絵が曼荼羅に似ており、各国にも似たような模様があることに気づきました。さらに、それぞれの国の神話にも多くの共通点があることも発見します。そこでユングは、個人の過去の体験から無意識を解釈するフロイトの精神分析学を批判し、人間には、個人的無意識よりも深い階層に、人類全体が同じイメージを持つ「普遍的な無意識の領域」が存在するのではないかと考えました。

事実というものは存在しない。存在するのは解釈だけである

断定を避け、
解釈を
客観視しよう。

フリードリヒ・ヴィルヘルム・ニーチェ

同じものを見ているつもりでも、人はそれぞれ違った場所や立場から物事を見ており、人それぞれ解釈を加えて物事を認識しています。例えば「目の前に1kgの石がある」という事象は、絶対的な事実のように思えますが、そうではありません。この1kgという単位は、はるか昔に、誰かが決めた「この重さを1kgとする」という解釈のもとに成り立つのです。

KEY WORD

ニーチェの生涯

1844年、ニーチェはドイツ・プロイセン王国の小さな村で、牧師の息子として生を受けます。学生時代は勉強ができるだけでなく、詩や作曲もこなすなど多彩な才能の持ち主で、異例の若さで教授に推薦されるなど輝かしい経歴を辿ります。しかしその後は、初の著作が全く売れなかったことをはじめとして、体調不良に見舞われるなどの苦難が彼を襲います。人生の後半では発狂して精神病院へ入院し、最後には肺炎を患って55歳で死去しました。

ニーチェは、ドイツの哲学者ショーペンハウアー（132ページ）の『意志と表象としての世界』を読み、大きな影響を受けたといわれています。

私は、知らないことを、知らないと思っている

脱・知ったか
ぶり

ソクラテス

　この言葉は、いわゆる「無知の知」として有名です。「私は、自分の知識不足を認識しているから偉い」という意図に捉えられがちですが、彼が伝えたかったのは「不知の自覚」だといわれています。不知を自覚する、つまり不足している部分を把握しているからこそ、その部分を補うべく「知」へ前のめりになれるのです。

KEY WORD

ソクラテスとソフィスト

　紀元前5世紀頃のアテナイでは、民主主義が発展したものの、人気を取るために奔走する政治家が増えていました。次第に、弁論術に秀でた「ソフィスト（知恵のある者）」という職業が生まれ、彼らは政治家に大衆を操るための弁論術などを授けました。そしてソクラテスは、万能な知識をもっていると思われる彼らに対して、「愛とはなにか」「正義とはなにか」と問答をしていき、ソフィストが持っている知識の矛盾をついていきました。やがて、それらの活動が反感を買い、ソクラテスは死刑を言い渡されてしまうのです。

何も存在しない。
たとえ存在するとしても、
それについて知ることは
できない

"正しさ"を
疑え

ゴルギアス

この名言は、「絶対に正しいといえる真理など存在しないし、存在したとしても人間がそれを知ることはできないのだ」と解釈できます。実際に自分の中で正しいとしている法律、常識、マナーなども、時代によって変化し、さらには国や地域によって全く異なります。信じて疑わない価値観も、時には疑ってみることが大切です。

KEY WORD

ソフィスト

紀元前5世紀頃、アテナイでは選挙による民主制が採用されており、政治家として支持を集めるには、弁論や演説に優れていることが必要でした。そこで、ソフィストと呼ばれた知識人が、多額の報酬と引き換えに、政治家やその子弟に弁論術を指導しました。有名なソフィストとしては、ゴルギアス、プロタゴラスらが挙げられます。そんななか、古代ギリシャでは言葉巧みに大衆を煽り立てる扇動政治家（デマゴーグ）が台頭し、衆愚政治を招くことになります。

熱狂という感情は〜 真実にもとづいている時には、有益だが、誤謬にもとづいている場合には有害である

熱狂は
諸刃の剣

ニコラ・ド・コンドルセ

この言葉は、『フランス革命期の公教育論』（岩波書店）から抜粋したものです。コンドルセは、熱狂という感情が「教育」に及ぼす弊害について指摘しています。狂わんばかりに夢中になることは、物事を大きく推進させる力を生みますが、それが誤った方向に向けられた場合、取り返しのつかない事態を招いてしまうのです。

KEY WORD

コンドルセの功績

ニコラ・ド・コンドルセ（1743-1794年）はフランスの数学者、哲学者。「合理的な社会哲学」を打ち立てようとした人物としても知られています。ちなみに彼は「合理的な社会哲学」を「社会数学」と呼び直すほど、数学という学問の持つ合理性を信じていました。また、社会学の祖といわれるオーギュスト・コントは、コンドルセから多大な影響を受けており、思想史・社会学史にも大きな道筋を残しています。そんなコンドルセですが、政治闘争の波に巻き込まれてしまい、牢獄の中で51年間の生涯を閉じることとなりました。

『フランス革命期の公教育』は、コンドルセをはじめ他の教育思想家たちの考えも書かれており、教育関係者必読の一冊です。

人間は生まれながらにして自由であるが、しかしいたるところで鉄鎖(てっさ)に繋がれている

自由を達成するために

ジャン・ジャック・ルソー

国家、地域、会社、学校など、人はコミュニティの中で活動する生き物ですが、それによって隷属的な状態になってしまうこともあります。とはいえ、ヒトは人類史的にみても単独行動をしてこなかったため、共同体に属し、自らの身を守ることが必要です。防衛と自由、その二つを同時に達成する方法はないか。その答えをルソーは「社会契約論」に求めました。

KEY WORD

社会契約説(論)

ルソー、ホッブズ（47ページ）、ロック（72ページ）らが唱えた「国家と国民のあるべき関係性」のこと。国民は、国家と契約を結ぶことで、国民が本来持つ"自然権"を保護してもらえば良いと、彼らは考えました。自然権とは「財産、生命、自由など、人が生まれながらにして持つことが許されている権利」のこと。現実には、犯罪者や侵略国家など、自然権を脅かす存在が現れてしまいます。そこで、国民は国家と契約を結び、政治を託す代わりに自然権を守ってもらうべきとしました。

一切の対象の認識は
〜必然的条件に従う

> 物の認識は、
> 種族に
> 備わった条件
> に従う

イ マ ヌ エ ル ・ カ ン ト

多くの人はリンゴを、その特徴から"赤くて丸いもの"と認識しています。しかし、私たちはそれぞれ違う人間です。なぜリンゴは"青くて四角いもの"という認識をする人がいないのでしょうか。その疑問についてカントは、人間は既に備わった能力（必然的条件）をベースにして物を認識しているからだと考えました。

KEY WORD

ア・プリオリ

この言葉は、カントを読み解くうえで重要なキーワードです。先ほど述べた、人間に「既に（生まれながらにして）備わっている能力（認識）」があるということ。この「生まれながらにして」をカントは「ア・プリオリ」と表現しています（正確には「経験に先立つ」といった意味ですが、つまり「生まれながら」ということ。こう考えてみると「物があって、それを私たちが認識」しているのではなく、「生まれながらにしてフィルターのようなものを持っており、それを通じて物を認識している」という逆転の発想へと辿りつくこととなります。

カントは、イギリス経験論（163ページ）と大陸合理論（141ページ）を統合したドイツ観念論（113ページ）を打ち立てました。

人間は人間にとって
オオカミである

自由のための
不自由

トマス・ホッブズ

自由な社会とは、誰にでも平等にチャンスが与えられる素晴らしい世界なのでしょうか？　イングランドの哲学者ホッブズは、この問いに対しNOと答えます。人間は生まれながらにして攻撃的な性格であるため、自由な社会の中では、誰もが欲望を満たすことを目指し、その結果として戦いが生まれると考えたのです。

KEY WORD

リヴァイアサン

中世のヨーロッパでは「国王の権限は神から授けられたもの」という王権神授説によって、絶対王政が正当化されていました。そうした中、ホッブズは伝統的な王権神授説を否定し、近代的な国家観を提案しました。具体的には、国家が権力を持たない状態（自然状態）になると、人々は互いに争いをしてしまうので、人々を統治する権力（リヴァイアサン）が必要であることを説きました。リヴァイアサンとは、『旧約聖書』に出てくる海の巨大な怪獣のこと。つまり悪に対して処罰する権力機関や抑止力があってこそ、人民の自由は守られると考えたのです。

個人と国家の関係を「契約」と捉えたこの思想は、イギリスのロックや、
フランスのルソーなどに引き継がれていきます。

出来上った知を貰う事が、学ぶ事ではなし〜質問する意志が、疑う意志が第一なのだ

質問はお互い
の学びになる

小 林 秀 雄

一般的に「学ぶ」とは、よく本を読んだり、人から教わったりする
ことだと考えられています。しかし、小林秀雄は「出来上った知を
もらうことは、学びではない」と言い切ります。教わる側は積極的
に質問をし、教える側は質問をさせるように導くこと。このような
双方向的な関係性の中で、真の学びが得られるのです。

KEY WORD

小
林
秀
雄
の
活
躍

小林秀雄（1902-1983年）は日本の批評家、文芸評論家です。有
名な作品として挙げられるのは『無常といふ事』『本居宣長』に加
え、数学者の岡潔との対談『人間の建設』などがあります。小林
秀雄は、主観的に批評を行う旧来の「印象批評」を乗り越え、自
意識と存在の対決を軸にした「近代批評」を確立させました。ま
た、戦後は文学批評家よりも思想家の側面を強くしていき、非
常に個性的な文体と詩的表現を有した彼の文章は、多くの支持
を集めました。作家の吉本隆明や評論家の江藤淳は、彼に大き
な影響を受けています。

「観る」とはすでに一定して いるものを映すことではない。 無限に新しいものを 見いだして行くことである

> 先入観を
> 捨てて
> 「観て」みよう

和辻哲郎

言葉はこう続きます。「だから観ることは直ちに創造に連なる。しかしそのためにはまず純粋に観る立場に立ち得なくてはならない」と。目の前のものをただ「見る」のではなく、好奇心をもってつぶさに「観察」すること。そこには、「観る」人の感性や想像力が加味されます。その前に、各個人が先入観を捨て、純粋に対象を「観る」ことで、新しい価値観が創造されていくのです。

KEY WORD

風土論

日本の哲学者・和辻哲郎は民族性の違いを「風土」に観て、民族性のカテゴリを三つに分類しました。肥沃ながらも厳しい自然によって、物事に抗わず受容する姿勢を持つようになった「モンスーン型」。常に生存のための戦いが求められ結束する必要性があった事で、強固な一神教をつくり出した「砂漠型」。安定した気候に恵まれ、自然さえも人間の支配下にあると感じられたことが、合理性や自然科学の発達の一助になった「牧場型」にそれぞれ分類できるとしました。留学の経験から導き出されたこの考え方は、彼の感性や洞察力の鋭さを現代に伝えています。

自分自身の魂の動きを
注意深く見守っていない人は
必ず不幸になる

内省こそ
幸福への道

マルクス・アウレリウス・アントニヌス

他人の機嫌やその人に起きた出来事。それをあなたが知らなくても、不幸になることはありません。しかし、あなた自身の機嫌や目の前の出来事に対する感情によく目を向け、自身の感情を飼い慣らさなければ、不幸の住人になってしまいます。アウレリウスは、内省によって自己を発見し、いかなる時も心を乱されない不動の精神でいるよう心がけました。

KEY WORD

五賢帝時代

96年から180年までの約100年間、五人の皇帝（ネルウァ、トラヤヌス、ハドリアヌス、アントニヌス・ピウス、マルクス・アウレリウス）がローマ帝国に平和と繁栄をもたらし、後に「五賢帝時代」と呼ばれるようになります。発展の裏には、ネルウァからアントニヌスまでの四皇帝に後継者が居なかった事が背景にあります。各皇帝が優れた人物を養子として迎え、即位させることで五賢帝が誕生していくのです。しかし、アウレリウスの息子で、後継者となったコンモドゥスが暴君だったことで、五賢帝時代は終焉を迎えてしまいます。

多くの言葉で
少しを語るのではなく、
少しの言葉で多くを語りなさい

メッセージは
シンプルに

ピタゴラス

何かを伝える時、詳しく説明しようとして言葉を増やしてしまうと、伝えたいポイントがぼやけてわかりにくくなってしまいます。考えをよく練り、不要なものを削ぎ落としコンパクトにまとめた方が、受け手も理解しやすくなります。また、本当に物事を知っている人ほど多くを語らないもの。無知を自覚せず、多くを語る人への戒めともとれる言葉です。

KEY WORD

コスモス（cosmos）

コスモスとは「宇宙」を指しますが、調和と秩序がとれている状態を示すギリシア語の「kosmos」が由来とされています。宇宙を「秩序を備えた美しく調和のとれたシステム」と考え、コスモスと表現した最初の人物がピタゴラスだったとされています。また、対をなす概念としては、混沌を意味するカオス（chaos）が挙げられます。ちなみに、花のコスモス（秋桜）は、規則正しく並ぶ花びらを持つことから、この名前が付けられたといわれています。

ピタゴラスは豆が嫌いで、彼が組織した教団内では豆を食べることが禁じられていました。

情報が変われば、
意見は変わる。
貴方は違うのかい？

常に最良の
意見に
更新しよう

ジョン・メイナード・ケインズ

意見を変えないことは一貫性があり、人として正しい態度であると語られることがあります。しかし、人間は限られた時間の中で、十分ではない情報を元に常に選択を迫られ続けている存在です。ある時点で「妥当だと思われたもの」を、新たな情報に基づき「より妥当だと思われるもの」に変更することは、本人の徳性を損なうものでなく、むしろ賢明な判断といえるでしょう。

KEY WORD

ケインズの功績

ジョン・メイナード・ケインズは、1883年6月5日にイングランドのケンブリッジで生を受けます。経済学史上で最重要人物の一人ともいわれている、20世紀を代表する経済学者です。主著『雇用・利子および貨幣の一般理論』を発表し、その後の資本主義経済に多大な影響を与えました。新古典派の経済学を代表する研究者であるアルフレッド・マーシャルの弟子でもあり、哲学者のウィトゲンシュタイン（53ページ）とも交流を持っていました。

著書『貨幣改革論』の中で「長期的には、われわれは皆死んでしまう」という衝撃的な言説を残しています。

私の言語の限界が私の世界の限界を意味する

意識的して
言語化に
向き合う

ルートヴィヒ・ウィトゲンシュタイン

世界は事実の集まりであり、言語は事実と1対1で対応します。つまり、事実と対応しないことは言語化できず、言語の限界は世界や思考の限界を意味します。現実世界においても、難解な問題や、整理しきれない感情と対峙した時、それがどのようなものなのかを言葉にすることで、一歩前進したり、苦悩が軽減されるかもしれません。

KEY WORD

言語ゲーム論

オーストリア出身の哲学者ウィトゲンシュタインの哲学は大きく前期と後期に分けられ、よく知られる写像理論（157ページ）は前期に重視されていた理論になります。後期において彼は、日常会話がその時々で意味が変わることに気づきます。例えば「お腹が空いた」という言葉は「早く昼食に行きたいのか」もしくは「昨日から何も食べていない」ということを伝えたいのか、時と場合によって変わってきます。彼はこのような会話の特性を「言語ゲーム」と呼びました。

わたしは、等しく受け入れられているいくつもの意見のうち、いちばん穏健なものだけを選んだ

身の丈に
合った選択を

ルネ・デカルト

これは、三つの選択肢がある場合、高すぎず、低すぎず、中間のものを選択するべきという意味です。背伸びをした選択や高すぎる目標は、どこかで反動がくるもの。また、デカルトは「穏健でないことは個人の自由を削る」とも主張しています。自分のコントロールが及ぶ範囲で少しずつ前に進むことで、揺るぎない自分らしさを確立していくことが大切なのです。

KEY WORD

演繹法

ガリレオ・ガリレイが地動説（63ページ）を唱えて有罪判決を受けたように、デカルトが生きた中世ヨーロッパは「聖書に書かれていることが絶対唯一の真理」とされていました。科学革命以前、世の中の現象について不確定な知識が飛び交っており、真実を判断することが難しい時代でした。それらに数学的な考え方を適用することで、世の中の学問を統一する方法として誕生したのが「演繹法」でした。演繹法とは「A=BかつB=Cならば、A=Cである」というように、すでに知られている法則や前提から出発し、真理のわからないものを解き明かしていく手法です。

デカルトは、フランスのポワティエ大学で法学・医学を修め、
医学や科学の研究も熱心に行っていました。

036

ミネルヴァのふくろうは
夕暮れ時に飛び立つ

終わって
みるまで
わからない

フリードリヒ・ヘーゲル

知恵を司るローマ神話の女神、ミネルヴァ。夕暮れにフクロウを放ち、その日の出来事を調べさせて、知見を深めたといわれています。ドイツの哲学者ヘーゲルは、哲学をこのフクロウに例えました。物事が活発な最中に、それがもたらす影響について知ることはできません。しかし、終焉を迎えようとする「夕暮れ時」になって初めて、その真価が見えてくるのです。

=== KEY WORD ===

ヘーゲルの思想

ヘーゲルは、18世紀後半から19世紀初めにかけて発展したドイツ観念論（113ページ）を大成させた哲学者として知られています。彼は、二つの対立する事項を統一し、一段階上の答えを導き出す「弁証法哲学」を提唱し、この考え方は後に、カール・マルクス（28ページ）にも大きな影響を与えました。当時、隣国で起きたフランス革命について、ヘーゲルは熱心に支持していましたが、その後の顛末から、次第に革命や民主主義に疑念を持つに至ります。その経験が彼の「自由だけでなく秩序を重んじる思想」の根幹になったといわれています。

われわれがむだな活動として第一にあげるのは、新聞を読みすぎることだ

情報ダイエット
をしよう

カール・ヒルティ

新聞、TV、インターネット、SNSなど、氾濫する情報の中で生きる現代人が心に留めておきたい一言です。私たちの日常には、"大事なニュース"が絶え間なく流れてきます。この時、情報を鵜呑みにするのではなく、その重要性や妥当性を判断することが大切です。また、情報収集に時間をかけ過ぎて、肝心な部分である「行動」を怠らないように気をつけましょう。

KEY WORD

ヒルティの活躍

ヒルティ（1833-1909年）は、法学者、文筆家、哲学者ながら、スイスの下院議員も務めました。代表作としては、『幸福論』『眠られぬ夜のために』などが挙げられます。ヒルティは敬虔なキリスト教徒であり、上記の著作の中では、信仰に根差した処世術や思考法などが説かれています。中でも興味深いのは、飲酒に対して非常に否定的であった点です。彼は禁酒運動に尽力し、実際にスイス国会で禁酒令を可決に導きました。しかし心身が疲労している場合は、就寝前にごくわずかの飲酒をすることを勧めており、お酒自体を完全に否定しているわけではないようです。

自由とは二足す二が四であると言える自由である

当たり前を
言えなきゃ、
自由じゃない

ジョージ・オーウェル

「当然のことが当然のように言える」、いわゆる言論・表現の自由さえあれば、それ以外のあらゆる自由も叶えられるということ。つまり、この名言は、言論・表現の自由がいかに人間社会において大切で、重要な権利であるかを謳（うた）っているのです。

KEY WORD

『一九八四年』

上記の名言は、ジョージ・オーウェルの名作SF『一九八四年』の抜粋です。本作では国民が常に監視され、国にとって不都合な事実は常に改ざんされ、考える力すら失われた国民達が蔓延する社会が描かれています。監視社会について論じられる際によく引用されており、これからの社会の在り方を考えるうえでも必読の小説といえるでしょう。また本書には当時のソ連や、全体主義社会を批判する意図があったともいわれます。SFなので、現実離れしている点もありますが、既に実現してしまっている部分も散見され、今日においても高い評価を得ています。

トランプ大統領就任直後『一九八四年』は大きく売れ伸び、
米国のAmazonで書籍売り上げ1位を記録しました。

前向きになれる言葉

第 **3** 章

状生とか……味か

どんな人な

……でもという意ありますす

言葉を大事にするということが、自分を

大事にするということなんだ　池田晶子

ある彼れを知り己れを知らば

……戦して殆うからず　孫子

百戦して殆うからず　孫子

ヴィクトール・エミール・フランク　復讐す……

エミール・フランイエス・

親切にしなさい。
あなたが会う人はみんな、
厳しい闘いをしているのだから

相手の物語を
想像しよう

プラトン

相手が自分の意に沿わない行動を取ると、つい非難したくなることがあります。しかし、人にはそれぞれ事情があり、その直前にとても辛い出来事があったり、その人なりの価値観の中で全力で頑張っていたり、思いやりに基づく行動であったりする可能性もあるのです。一方的に期待を押し付けるのではなく、まずは相手のことを理解しようと努めましょう。

================ **KEY WORD** ================

洞窟の比喩

プラトンは、真の姿や形を追い求めることが重要だと考え、それをイデア（97ページ）と呼びました。また彼は、表面的な部分ばかりに注目し、本質を見失いがちな人間の特徴を「洞窟の比喩」として表現しました。洞窟の中で縛られている人を想像してみてください。この人物は背後から誰かに松明を照らされていても、後ろは見えないため、火がつくる影を本物だと信じ込むようになるわけです。このようにプラトンは、人間が現実世界で見ているのは全てイデアの影であるとし、理性を働かせることでイデアを探究すべきだと主張したのです。

プラトンはソクラテス（42ページ）の弟子であり、アリストテレス（19ページ）の師にあたります。

出来事が君の好きなように
起こることを求めてはいけない

大事なのは
「捉え方」

エピクテトス

私たちを悩ませるのは出来事そのものではなく、それに対して抱く感情です。そこで、ストア派（106ページ）の哲学者エピクテトスは、出来事を変えようとするのではなく、それを受け入れることの大切さを説きました。コントロールできるのは、外で起こることでなく、自分自身の捉え方。捉え方を変えれば、あなたの苦痛や不安を和らげることも可能になります。

KEY WORD

禁欲主義

ストア派といえば、「禁欲主義」が第一の特徴として挙げられますが、これは一般的にイメージされる"禁欲"とは少し意味が異なるものです。ストア派では、一切の欲望を禁じたのではなく、理性（ロゴス）によって情欲や感情をコントロールすることを強調しました。古くから人間は、富や名誉などの欲求に支配され、悩まされてきました。そうした中、彼らは外界からの刺激によって起こる情念（パトス）に心を乱されない、超然とした境地を不動心（アパテイア）と呼び、それを賢者の理想として目指したのです。

ショーペンハウアー（132ページ）は、ストア派を批判しつつも
「人間が理性の力だけで到達し得る最高地点」と評したとか。

わたしが生きている間、ずっと幸せである必要はない。しかし、生きている限りは立派に生きるべきである

無理に幸せを
目指さなくても
いい

イマニエル・カント

幸せに生きようとしても、一切の幸運に恵まれなければ、自力でそれを達成するのは困難でしょう。またどんな人間であれ、24時間365日幸せな人など存在しません。しかし、仮に幸福でなかったとしても、人は自らの意志で、立派に生きようと努力することができるはずです。人間の幸せとは、その試行錯誤の中にあるのかもしれません。

KEY WORD

コ
ペ
ル
ニ
ク
ス
的
転
回

カント以前は、何らかの対象を認識する時、人は対象をそのまま捉えていると考えられていました。しかし、カントは全く逆であると言い、「対象は認識に従う」と唱えました。例えばヤカンを見た場合、ヤカンでお茶を飲む習慣があるAさんは「お茶が入っているのかな？」と思うかもしれませんが、一方Bさんは「もしかして熱いかも。触ったらやけどするかも」と感じるかもしれません。このように、認識する側によって対象は変化するのです。「認識が対象に従うのではなく、対象が認識に従う」というカントの主張は、まさに逆転の発想だったと言えます。

天動説に対して、地動説（63ページ）を主張したコペルニクスになぞって「コペルニクス的転回」と称されました。

見えないと始まらない。
見ようとしないと始まらない

見るのでは
なく、
観るのである

ガリレオ・ガリレイ

人は自分に都合の良い情報ばかりを見る傾向がありますが、それでは思わぬ失敗を招いたり、新たな発見を見落とす可能性があります。例えば、お笑い芸人さんが面白いエピソードを数多く持っているのは、話のネタとなる面白いものを見つけようと、常にアンテナを張っているからだといいます。常識や偏見に囚われず、この世界をありのままに観察してみましょう。

KEY WORD

ガリレイの生涯

ガリレイ（1564-1642年）はルネサンス（154ページ）を代表するイタリアの物理学者、天文学者です。発明は多岐にわたり、慣性の法則を発見したことでも知られます（後にニュートンが発展）。最も有名なエピソードは、太陽や他の惑星が地球のまわりをまわっているという天動説に対し、「地動説」を主張したこと。しかし、地動説は聖書の教えを否定したと考えられ、異端審問の後、撤回せざるを得ませんでした。一説によれば、その裁判にて、地動説を撤回する旨の異端誓絶文を読み上げさせられた後に、彼は「それでも地球は動く」と述べたといわれています。

なお「それでも地球は動く」は、後に創作されたという説が濃厚です。

人生は仲間に関心を持ち、全体の一部であり、人類の幸福に貢献することである

> giveできる人
> になろう

アルフレッド・アドラー

人生において、私たちは自分の利益だけでなく仲間の利益も大切にし、takeばかりではなくgiveすることが重要です。もちろんこれは、自己犠牲を推奨するものではありません。誰かに何かを与えることは、すなわち全体への貢献であり、社会的動物である人間が、他者との繋がりを感じるうえで不可欠な行為なのです。

KEY WORD

アドラーの生涯

アドラーは1870年、オーストリアのルドルフスハイムで生まれました。1895年に眼科医として働き始めた後、内科医として診療所を開院。さらにその後、精神科医に専念するようになりました。1902年からフロイトのウィーン精神分析協会でも活動していましたが、学説上の対立から1911年に脱退しています。従軍医師として第一次世界大戦を経験した後、ユダヤ人であるアドラーは、ナチズムの台頭を受け、拠点をアメリカに移しました。以降、世界各国で精力的に講演・講義を行っていましたが、1937年に、講演先のヨーロッパで亡くなりました。

たくさんの失敗を重ねてみて、初めて真実の全体像に出会えるのだ

真に望むものに気づこう

ジークムント・フロイト

人は失敗したり、傷ついたりする事を、悪いものとして忌避する傾向にあります。しかしフロイトは「失言や失敗などは、無意識の中にある真の欲求と、それを実現できない現状との間の葛藤によって生じるもの」と考えました。つまり失敗とは、私たちが自分の真の望みに気づくための重要な手がかりなのです。

KEY WORD

| 無意識 | フロイト以前、特に近代は「行動は自分の理性によって決められる」という流れがありましたが、フロイトは、人の行動は「無意識」によって支配されていると主張しました。例えば「泳ぐことに恐怖心を覚える理由を探った結果、幼少期に溺れた過去が見つかった」というように、知らず知らずのうちに、無意識が影響を与えているとしました。また、フロイトは精神を「意識」「前意識（努力すれば意識できる）」「無意識（意識できない）」という三つの層に分け、無意識の中に抑圧していた記憶が、意識の層へいくことで、人の行動は生まれると考えました。 |

フロイトは、健忘症の患者の診察などを通して、物忘れ、言い間違い、夢などを無意識によるものと考えました。

I'm not okay, you're not okay, and that's okay.

お互い様。
そのひと言が
世界を温める

エリザベス・キューブラー・ロス

「わたしはOKじゃないし、あなただってOKじゃない。だから、これでOK」。是非を評価し、相手の不備を咎めたり、自分の至らない部分を責めても始まりません。理想からほど遠くても、わたしもあなたも同じ。人生はおあいこ、最期には引き分けでノーサイドとなるのです。これから先、何が起こってもそれは全てかけがえのない物語となるでしょう。

KEY WORD

エリザベス・キューブラー・ロス

エリザベス・キューブラー・ロス（1926-2004年）は、1960年前後に最も活躍したアメリカの精神科医です。最期の時を迎える患者や家族について多く研究し、著作『死ぬ瞬間』では「死の受容プロセス」というモデルをまとめました。患者の語る克明な臨死体験を知るにつれ、死後の世界なども扱い、死を特別なものとしない考えを説きましたが、晩年は脳梗塞の後遺症に向き合いながら苦しみました。多数の死にゆく患者と相対し、自身も最期まで生と死を深く見つめたロスは、まさに「死の研究者」でした。

ロスは父親に医学部進学を反対されたため、自らその学費を捻出するべく検査技師を務めた後、大学へ入学しました。

失われた富は勤勉によって元通りにできるかもしれない〜だが、失われた時間だけは永遠に戻ってはこないのだ

時間は
不可逆的で
有限なもの

サミュエル・スマイルズ

失われたお金や知識は、懸命な努力をすれば取り戻せるかもしれません。しかし、過ぎ去った時間が永遠に戻ることはありません。したがって、私たちは限られた人生の中で、何を成し遂げたいのか、どんな人間になりたいのかといった「目標」や「理想像」を明確にしたうえで、あらゆる行動に注力していく必要があります。

KEY WORD

サミュエル・スマイルズ（1812-1904年）はスコットランド出身の作家、医者です。大学卒業後に外科医を開業した後、新聞の編集や鉄道事業にも関わりました。また、講演活動を行い、政治・社会改革運動や労働者階級の知的社会的向上に力を入れました。1859年には、イギリス国民の日常生活における自立を訴えるために、西洋の歴史上の偉人の成功法則や人生哲学をまとめた『自助論』を発表しました。『自助論』はロングセラーとなり、現在世界各国で翻訳されています。

スマイルズの功績

人間はみずからつくるもの以外の 何ものでもない

> 実存は本質に 先立つ

ジャン・ポール・サルトル

人間にはあらかじめ定められた本質や目的はないとサルトルはいいました。つまり、人間は真に自由な存在といえます。しかし、逆にいえば、みずからで自分の人生の方向性を定め、自分の人生に対して責任を持たなくてはならないのです。

KEY WORD

実存主義

1943年にサルトルが提唱した実存主義は、「一人ひとりの人間が究極の絶対的な自由を持っている」というものです。これは「ヒトには生まれた瞬間から魂が備わっている」とするキリスト教の価値観とは真逆の斬新なものでした。この新鮮な考え方は、当時フランスがナチスドイツの占領下にあった事も影響し、フランスにおいて瞬く間に広がりました。また、その後も論説が徐々に拡散され、最終的には世界的に人気を博すこととなり、後の1960年代の学生運動（五月革命）を後押ししました。

サルトルは、幼少時代に患ったインフルエンザの影響で右目がほぼ失明し、斜視になりました。

人は孤独によって
鍛えられ成長する

自分自身を
見つめよ

フィリップ・ギルバート・ハマトン

人との交際も大切なことですが、独りになって考え事をしたり、仕事に没頭する時間も同じくらい大切なことです。自分が叶えたい夢、理想の姿、いま本当になすべきこと…。それらは誰かが教えてくれるものではなく、常に私たちの心の中に存在しています。孤独な時間の中で、自分の内面と向き合うことによって、初めて見えてくるものがあるのです。

KEY WORD

ハマトンの生涯

イギリス出身のハマトン（1834-1894年）は、35歳から亡くなるまで、ロンドンの権威ある美術誌の編集責任者をしていました。仕事熱心で、多くの著名人からも尊敬され、美術界ではかなり高い地位にいました。しかし、彼は知的生活の追求のために都会を離れ、長年フランスの田舎で生活しながら仕事をしました。教養を身につけ、豊かな人生を謳歌するためには、自分自身と向き合うために充分な時間やエネルギーを確保する必要があります。忙殺されやすい現代人にとって、ハマトンの生き方や考え方は大いに参考になるはずです。

一期一会

その出会いに
感謝しよう

千 利 休 (山 上 宗 二)

「一生に一度の出会い」という意味。このように、茶道の心得のなかには「二度とない出会いと思い、客人をもてなすべき」という教えがあります。人口が何十億といる地球においては、今ある出会いも奇跡のようなもの。一瞬一瞬を大切に、真心を込めて人と接しましょう。

KEY WORD

一期一会の由来

もともと上記の名言は、千利休の弟子である山上宗二が書いた『山上宗二記』に「茶会に臨む際には、その機会は二度と繰り返されることのない一生に一度の出会いであるということを心得て、亭主・客ともに互いに誠意を尽くしなさい」という意味の一文で登場しました。そこから、さらに井伊直弼が茶道の心得として、著書『茶湯一会集』の巻頭に「一期一会」と表現したことにより、四字熟語の形で広まったとされています。ちなみに、「一期」とは仏教用語で、人が生まれてから死ぬまでの期間のこと。「一会」は一つの集まりを表しています。

わび茶の完成者として知られる千利休ですが、その身長は180cmあったとされています。

郵便はがき

162-0816

東京都新宿区白銀町1番13号

きずな出版 編集部 行

フリガナ
....

お名前　　　　　　　　　　　　　　男性／女性
　　　　　　　　　　　　　　　　　未婚／既婚

（〒　　　-　　　　　）
ご住所

ご職業

年齢　　　10代　20代　30代　40代　50代　60代　70代〜

E-mail

※きずな出版からのお知らせをご希望の方は是非ご記入ください。

きずな出版の書籍がお得に読める！
うれしい特典いろいろ
読者会「きずな倶楽部」

読者のみなさまとつながりたい！
読者会「きずな倶楽部」会員募集中

 きずな倶楽部　 検索

愛読者カード

ご購読ありがとうございます。今後の出版企画の参考とさせていただきますので、アンケートにご協力をお願いいたします（きずな出版サイトでも受付中です）。

[1] ご購入いただいた本のタイトル

[2] この本をどこでお知りになりましたか？
    1. 書店の店頭　　2. 紹介記事（媒体名：　　　　　　　　　　　　　　）
    3. 広告（新聞／雑誌／インターネット：媒体名　　　　　　　　　　　　）
    4. 友人・知人からの勧め　　5.その他（　　　　　　　　　　　　　　）

[3] どちらの書店でお買い求めいただきましたか？

[4] ご購入いただいた動機をお聞かせください。
    1. 著者が好きだから　　　　2. タイトルに惹かれたから
    3. 装丁がよかったから　　　4. 興味のある内容だから
    5. 友人・知人に勧められたから
    6. 広告を見て気になったから
    （新聞／雑誌／インターネット：媒体名　　　　　　　　　　　　　　）

[5] 最近、読んでおもしろかった本をお聞かせください。

[6] 今後、読んでみたい本の著者やテーマがあればお聞かせください。

[7] 本書をお読みになったご意見、ご感想をお聞かせください。
（お寄せいただいたご感想は、新聞広告や紹介記事等で使わせていただく場合がございます）

ご協力ありがとうございました。

きずな出版　　URL http://www.kizuna-pub.jp　　E-mail 39@kizuna-pub.jp

048

たとえ失敗しても あくまで勉強を続けていけば、 いつかはまた、 幸運にめぐまれる時がくる

失敗こそ 学びである

渋沢栄一

多くの人は失敗を恐れるものです。しかし失敗とは汚点でも恥でもなく、むしろ目の前の現実に立ち向かった勇者の傷であり、誇るべき勲章です。それは大きな情熱を生み、学びを与え、人間をより強化する材料となります。自分の未来を決めるのは、失敗そのものではなく、失敗との向き合い方です。いつか訪れる幸運を掴むため、失敗を歓迎し、学び続けていきましょう。

―――――――――――― KEY WORD ――――――――――――

道徳経済合一説

「日本資本主義の父」と呼ばれた渋沢栄一には、危惧していたことがありました。それは、自身の利益を求めるがために、商業道徳に欠ける行いをする人間が、多く見受けられたことです。そこで栄一は、座右の書であった『論語』を軸に、人間としての「道理」と「経済活動」を両立させることを目指しました。そして、経済活動で得た富を社会に還元することで、経済的に恵まれない人々の生活を豊かにしたり、日本全体の国力を強化すべきといった趣旨の「道徳経済合一説」という理念を打ち出したのです。

労働の成果は、まさしくそれを宿した人のものである

働くことで
自分を得る

ジョン・ロック

働くことによって、時に自分の存在が消失していくような気分になる人もいるでしょう。しかし、ロックは「自己の身体の所有権は自らにあり、その身体が自然に与える恵みに対しても所有者となる」と唱えました。つまり働くことは、自己所有感やアイデンティティを確立していくものだと考えたのです。

KEY WORD

抵抗権

ロックはホッブズ（47ページ）と同じく、人々を処罰する権限は国家に託すべきと考えました。しかし一方で、「国民主権」*1 を唱え、国家が国民の権利を侵害した場合、抵抗できるとしました（抵抗権）。さらに彼は、そこから革命を起こし新たな国家を樹立できるという「革命権」も国民は保持していると主張したのです。あくまで、国家は国民に代わって政治を"任されている"だけで、やりたい放題していいというわけではありません。ロックの考えは、後のフランス革命やアメリカ独立戦争だけでなく、現代政治にまで大きな影響を与えることになりました。

*1 国の統治のあり方を決定する権利は国民が持つという原理。

たとえ明日、世界が滅びようとも、私は今日、リンゴの木を植える

> 希望を
> 捨てるな

マルティン・ルター

希望を持ち続けることで、可能性は開けるということを教えてくれる言葉です。15 〜 16世紀、「免罪符」を売り、お金儲けに走っていたローマ・カトリック教会をルターは激しく糾弾します。その結果、絶大な権力を持つ教会から破門されるなど、絶望的な状況に追い込まれてしまいます。しかし、彼の尽力はやがてプロテスタントという巨大宗派を生むことになるのです。

KEY WORD

プロテスタント

16世紀初め、堕落していた当時のカトリックを批判したルターがつくったキリスト教の一大宗派で「反抗する者」という言葉が由来。ドイツ皇帝カール5世などから迫害されるも、北部ヨーロッパやイギリス、アメリカなどに広がっていきました。主な特徴としては、「聖書中心主義」と「信仰義認説」が挙げられます。前者は、信仰の中心は聖書にこそ存在し、免罪符で人は救われないという考え方で、後者は、人は行いではなく、信仰によって救われると唱えたもの。これらのことから、キリスト教の原点回帰を目指した姿勢がこの宗派の背景にあるともいえます。

紙に書かれた道は、先人の足跡に過ぎない。先人が何を見たかは、辿らなければわからない

> 10の知識を
> 持つ前に1の
> 経験をしよう

シャルル・ド・モンテスキュー

本などから情報を得て理解したとしても、残念ながらそれは、著者が獲得した知識や実際した経験と同様の価値を得たとは言い難いものです。本は先人の歩みを確認できる便利なツールですが、得た知識を活用し自分で経験しなくては、価値は半減してしまいます。学んで終わりではなく、それを現実世界で実践・アウトプットすることを意識してみましょう。

KEY WORD

モンテスキューの生涯

モンテスキューはフランスの哲学者で1689年に旧貴族の家系の長男として誕生しました。父や祖父の後を継ぎ、高い地位を得ると、社交界やサロンなどで啓蒙思想家たちと親交を深めました。1721年には、最初の著作『ペルシア人の手紙』を出版。これが当時のフランス社会を風刺したものとして話題となり、その名が世に知られるようになります。そして1728年から3年間ほど、ローマやロンドンなどを回り、歴史や政治体制について学ぶと、1748年に『法の精神』を出版。そこでは「三権分立」(119ページ)を唱え、近代の憲法理論に強い影響を与えました。

一族が代々所有していた莫大な土地に佇む彼の居城、ラ・ブレード城は観光スポットとなっています。

自分の理性を使う
勇気を持て

自分の頭で
考えよう

イ マ ニ エ ル ・ カ ン ト

人は「自分の頭で考えて行動すること」よりも、「他人の意見や命令に従って動くこと」を好む傾向があります。なぜなら後者の方が難易度は低く、さらに自分が負わなければならない責任が少ないからです。しかし自分の人生は自分のものであり、一度きりしかありません。後悔しないためにも、失敗を恐れず、自分の頭で考えて行動する事を心がけたいものです。

KEY WORD

カントの生涯

カント（1724-1804年）はドイツの哲学者。生まれ育った家庭は貧しく、13歳の時に母を亡くしてしまいます。大学入学後は、自然科学、数学、物理学など幅広く学問を修めます。そんな中、母の後を追うように父までも他界。家庭教師をして、なんとか生計を立てます。その後は大学講師や王立図書館司書などを経て、46歳で哲学教授に就任します。カント哲学は難解さゆえに敬遠されがちですが、彼自身は人間味あふれる、社交的な人物でした。ユーモアを交え、いきいきと語りかけるような講義は聴講生からも人気があり、高い評価を受けていたようです。

お前が死んでも何も変わらん。
だが、お前が生きて
変わるものもある

生きている
だけで尊い

玄奘（三蔵法師）

私たちは「死んでしまったらそこで終わり」と考えることもできます。しかし生きていれば、それだけで何か変わることがあるかもしれません。誰かを笑顔にできたり、誰かを支えたりできるかもしれません。生きているだけで、可能性は無限大です。日の目を見ない時期は辛いものですが、それに耐え抜くことができれば、いつか満開の花が咲く季節が訪れるでしょう。

KEY WORD

玄奘の生涯

玄奘は、映画や漫画などで知られる『西遊記』に登場する、三蔵法師のモデルとなった僧侶です（実際は男性）。玄奘は11歳で出家し、中国各地を巡り高僧たちから教えを受けますが、何度も翻訳を繰り返された漢訳の経典に限界を感じます。そこで27歳の時、真の仏教を学ぶため、国禁を犯して密かに出国します。役人の監視を逃れながら命がけでインドに至り、そこで学問を修めた後、出国から17年という歳月を経て、657部の膨大な経典を長安に持ち帰りました。帰国した玄奘は亡くなるまでの19年間、余生の全てを持ち帰った経典の翻訳に捧げました。

「三蔵法師」とは尊称を指し、固有名詞ではありません。日本でも霊仙という僧侶が三蔵法師とされました。

あなたは種を蒔いて、
去りなさい。
誰が収穫しても、それでよいのだ

> 縁の下の
> 力持ちになろう

イスラム教の格言

何事も成果が出る時や盛り上がっている時が華であり、多くの人は
そのような場面のみを経験したがります。しかし物事には順番があ
り、そこに至るには、種を蒔いて育てるという地味で大変な手順が
必要です。種を蒔いて育てることができる人は、世のために価値を
創造できる人です。仮にほかの人が収穫したとしても、それを素直
に喜べる自分でありたいものです。

KEY WORD

イスラム教

イスラム教は唯一神アッラーを信仰する宗教であり、信者数は
キリスト教に次いで多く、一説では16億人ともいわれています。
7世紀の初頭、預言者ムハンマドによって創始され、彼が受け
た神の啓示をまとめた経典コーランと、彼自身の言行録である
ハディースに基づいて信仰がなされています。ムスリムの礼拝
堂であるモスクには、聖地メッカの方向を示すくぼみ（ミフラー
ブ）があり、男女別に礼拝が行われます。イスラム教は偶像崇
拝（神像などを崇拝すること）を禁止しているため、モスクには
神を表現する像が置かれることはありません。

悲観主義は
気分によるものであり、
楽観主義は
意志によるものである

物事を楽観的
に考えよう

アラン

気分に任せて生きている人は、悲しみに囚われやすいものです。また、時にその悲しみは苛立ちに変わり、さらに自分を苦しめることもあります。幸福に生きるためには、気分に左右されるのではなく、意志を持って楽観的に考えることが大切です。過去に起きた出来事、これから起こりうる心配事をマイナスに捉えるか、プラスに捉えるかは自分次第です。

KEY WORD

三大幸福論

アラン、ラッセル（115ページ）、ヒルティの三人はそれぞれ『幸福論』を執筆しており、これらは世界の「三大幸福論」と評されています。アランは文学的・哲学的な幸福の考え方、ラッセルは合理的・実用的な幸福の考え方、ヒルティはキリスト教の信仰に基づく宗教的・道徳的な幸福の考え方を述べています。その中でも、アランの『幸福論』は新聞記事向けに書かれたため、わかりやすい文体と躍動感のある文章表現が特徴で、楽観的な視点から幸福に生きるためのヒントが盛り込まれています。

アランは自分自身を「不撓不屈のオプティミズム」と表現するほど、楽観主義を貫いていました。

予定の期間内に目的港に たどり着くことはできない かもしれないが、正しい航路を 進み続けることはできる

焦らず自分の
道を行こう

ヘンリー・デイヴィッド・ソロー

周囲の期待やしがらみに翻弄されることなく、自分の思う道を行きなさい、とソローはいいます。経済的な成功や社会的評価をただ求めたり、人の生き方を真似るでもなく、「自分自身の生き方」を追及すること。船乗りが星を目指して進むように、ひたすらに目指す方向へ進んでいけば、たとえ時間がかかったとしても、いつかは望む景色が見えてくるでしょう。

KEY WORD

ソローの功績

ソロー（1817-1862年）はアメリカの作家・思想家で、自然豊かなマサチューセッツ州コンコードに生まれました。大学卒業後、教師や測量士など様々な職に従事しましたが、生涯、特定の職には留まらなかったといわれています。自然をこよなく愛したソローは、即物的な社会に疑問を抱き、奴隷制度やメキシコ戦争への反対運動に注力。抗議の意を示すため、人頭税の支払いを拒否して投獄されたこともあります。信念と非暴力をもって悪法に逆らうことを「市民的不服従」と言い、後にガンジーやキング牧師（120ページ）にも影響を与えました。

親交のあった思想家のエマーソン（117ページ）に日記の執筆を
勧められたことが、ソローの人生に大きな示唆を与えました。

知性を磨く言葉

第 **4** 章

ヴィクトール・エミール・フランクル『復讐す

どんな人とか……意味ありますか

でもイ……うあり……

言葉を大事にするということが、自分を

大事にするということなんだ　池田晶子

る彼れを知りこれを知らば

百戦して殆うからず　孫子

私が遠くを
見ることができたのは、
巨人たちの肩に
乗っていたからだ

過去がある
から今がある

アイザック・ニュートン

これはニュートンの名言として知られていますが、最初に用いたのはフランスの哲学者ベルナールともいわれています。どんな分野であれ、先人たちが築き上げた知見や発見があってこそ、人類は進歩することができます。"知の巨人"の力を借りる一つの手段は、やはり読書です。過去の偉人から謙虚に学び、まだ見ぬ未来を創造しましょう。

KEY WORD

ペスト

ペストとは、人類史上有数の致死率を誇った感染症です。特に14世紀にヨーロッパを中心に大流行し、ヨーロッパ全人口の約3分の1以上が亡くなりました。皮膚が黒くなるという症状から「黒死病」とも呼ばれます。ニュートンがまだ大学生だった頃、ロンドンでも流行し、大学が閉鎖されてしまいました。しかし、ニュートンは自由時間を自らの研究にあて、万有引力の法則や微分積分法を発見。さらに彼は、当時のことを「創造的休暇」とポジティブに振り返っています。コロナ禍にある今、このエピソードは私たちに大切な気づきを与えてくれます。

　「オッカムの剃刀」（142ページ）で知られる哲学者オッカムは、ペストによって命を落としました。

人間は
考える葦(あし)である

> 運命を自覚し、
> 考えて生きよ

ブ レ ー ズ ・ パ ス カ ル

パスカルは、人間を自然界で最も弱い葦だと述べていますが、この言葉は、人のか弱さや、思考力を持つことの素晴らしさを謳(うた)ったものではありません。死という運命を自覚し、その中であるべき自分の姿や生き方を考えられる点に、人の尊厳があると説いているのです。運命を忘れず、一日一日の在り方を、よく考えながら過ごしていきたいものです。

KEY WORD

パスカルの生涯

ブレーズ・パスカル（1623-1662年）は、フランスの思想家、数学者、物理学者です。1653年には、流体静力学の基礎となる「パスカルの原理」を提唱しました。さらに、圧力に関する「パスカルの法則」も発見し、台風のニュースで耳にする「ヘクトパスカル（hpa）」という気圧の単位名の由来にもなりました。また、思想家としてもイエズス会の異端審問(いたんしんもん)を批判するなど積極的な活動を見せましたが、39歳にして生涯に幕を閉じます。未完であった『パンセ（思索）』は、遺族の手に編集されて刊行。欧米においては聖書の次に読まれている作品として知られています。

理性は情緒の単なる奴隷であり
～情緒に奉仕し、
服従する以外の役目を
望むことはけっしてできない

理性は情緒に
勝てない

デイヴィッド・ヒューム

スコットランドの哲学者ヒュームは、理性に対して徹底して懐疑的であったことで知られています。一方で、数学者の岡潔が情緒を磨くことの大切さを説いたように、理性と感性のバランスにも配慮したいものです。また人間社会には、理性的ではない結論に対し、もっともらしい根拠が後付けされているケースも多々あり、その点も注意を払っておく必要があります。

KEY WORD

因果関係

「私」や「神」についても疑問の目を投げかけてきたヒュームは、「先に原因があって結果がある」という"因果関係"についても疑問を呈しました。例えば「炎は熱を発生させる」というケースを考えた場合、「原因→炎」「結果→熱」の因果関係が成り立ちます。この他にも「雨に濡れたから冷たさを感じる」など、様々な自然法則が因果関係により説明されています。しかしヒュームは、それらを「習慣（経験）によって、私の頭のなかに浮かんだだけ」と解釈します。なぜなら、熱さや冷たさを感じる原因が、炎や雨以外にも存在する可能性があるからです。

ヒュームは「私」だけでなく、「神」についても自分たちの経験に由来する
「複合概念」（151ページ）の産物と主張しました。

喜びの感情が精神と身体とに同時に関係している場合、私はそれを快感、あるいは爽快とよぶ

心身が
良い状態で
初めて喜べる

バールーフ・デ・スピノザ

この名言の後には、「他方悲しみが精神と身体に同時に関係している場合には、苦痛あるいは憂鬱とよぶ」と続きます。スピノザは、感情と身体の結びつきに着目し、「心身平行論」を展開しました。ストレス社会という言葉を聞くようになって久しい現在、私たちは自分の体だけでなく、心の健康にも配慮する必要があります。

KEY WORD

心身二元論と心身平行論

「心身二元論」とは、心と身体を別のものとして切り分ける考え方のことをいいます。フランスの哲学者デカルト（90ページ）は、心身二元論を唱え、「自分の心」は身体や外部の世界から独立した存在だとし、身体は「精神の延長」に過ぎないとしました。一方、スピノザらが唱えた「心身平行論」とは、精神と身体は相互に影響し合うもので、一方だけが他方に影響するのではないとする立場を指します。つまり、「心が弱っている→体調が悪い」という因果関係のみならず、「体調が悪い→心が弱っている」という逆の因果関係もあり得ると考えたのです。

そなたの口から飛び立った言葉は、存分にその役割を果たし、二度と戻っては来ぬ

発した言葉は
独り歩きする

イスラム教の格言

時に、怒りや妬みといった感情に任せて言葉を発したり、他人の噂を言ってしまいたくなる瞬間があることでしょう。しかし、そんな時こそ立ち止まり、その言葉を口にして良いのか熟慮してみましょう。口に出した言葉は、あなたの意志と関係なく伝わり、思わぬトラブルに繋がることも。言葉の力を認識し、その扱い方には充分に気をつける必要があります。

KEY WORD

スンニ派とシーア派

イスラム教の二大宗派で、全イスラム教徒の約9割が「スンニ派」、残りの約1割は「シーア派」と推定されています。632年、預言者ムハンマドは、後継者を指名せずに亡くなりました。その際「ムハンマドの子孫こそがカリフ（指導者）にふさわしい」と考えたのがシーア派で、彼らはムハンマドの娘婿（むすめむこ）であるアリーとその子孫をイマーム*¹としました。一方、「カリフは能力で決めるべき」としたのがスンニ派です。どちらもコーランとハディース（ムハマンドの言行録）に基づき信仰が行われていますが、シーア派はイマームの教えを重視することが特徴です。

*¹ スンニ派においては礼拝を仕切る人を指しますが、
シーア派ではムハンマド直系の「正統後継者」を意味します。

自分が相手と同じ立場に
なれないのなら、
相手を批判する資格はない

No Image

批評家では
なく当事者
で在ろう

ユダヤの教え

他者が行動している姿を見ると、問題点や改善点を指摘したくなる
ものです。しかし実際には、同じ立場に立ったことがない人、ある
いは当事者でないからこそ言えるというケースがほとんどです。い
ざ同じ立場になると、やむを得ない事情があったり、ただ体調が優
れなかっただけだったり……といったことが多々あります。つまり
批判とは軽々しくできる行為ではないのです。

KEY WORD

ユダヤ人は歴代のノーベル賞の五人に一人以上、数学界の最高
賞であるフィールズ賞受賞者の約5割以上を占めています。ユ
ダヤ人の世界における人口比率が1%を下回ることを考えると、
驚異的な割合といえます。歴代の偉人では、アインシュタイン
やカール・マルクス（28ページ）らもユダヤ人で、現代においても
アメリカの時価総額トップ層に君臨する巨大IT企業の創業者に
も、ユダヤ人が多く含まれています。これまで、ユダヤ人は中
東のユダヤ教徒のみを指すこともありましたが、今や国籍や言
語の枠を超えて活躍する集団となっています。

ユダヤ人

信じることには偽りが多く、
疑うことには真理が多い

実生活でも
学問しよう

福澤諭吉

世の中には偽りが多く、その偽りを信じる人も多くいます。真理に辿り着くために大切なのは、正しいとされていることを疑う行為です。とくに情報が溢れる現代は、物事をきちんと選り分けて、取捨選択できる能力が必要とされます。学問は、その判断力を培うためにあるのではないでしょうか。

KEY WORD

『学問のすゝめ』

1871年、福澤諭吉の推進により現在の大分県に中津市学校が創立されました。名著『学問のすゝめ』は、この市学校を開校する際に、故郷の友人に学問の重要性を説くために執筆されました。そして、世間一般にも広めた方が良いと勧められ、活字版を製作することに至ります。「学問のすゝめ」という名称からも、学問の大切さを説く印象が強いかもしれませんが、実は生きるうえで大切にしたい能力や人間の性質を踏まえて気をつけるべきことなどが書かれています。

真の学問は
筆記できるものではない。
真の学問は行と行の間にある

机上の空論
より経験

新 渡 戸 稲 造

学ぶということは、ただ机に向かって勉強し、単に知識を頭に詰め込むということではありません。それでは世間のことは何も知らない、頭でっかちな人間になってしまいます。学問の目的とは、たくさんの経験をし、自分の目で見て、耳で聴くことで豊かな人間になることなのです。

KEY WORD

新渡戸稲造と国際連盟

1920年、第一次世界大戦の反省から創設された史上初の国際平和機構。本部はスイスのジュネーブに置かれました。しかし、創設を主導したアメリカは不参加で、そのことが後の政治的問題に対する処理能力不足[*1]を招くことになります。理事会には日本も名を連ね、初代事務局次長に新渡戸稲造が就任すること。彼は、ユネスコの前身「国際知的協力委員会」をつくるなど、"ジュネーブの星"と呼ばれる活躍を見せました。退任後も、満州事変が起こった際には、戦争回避のため体調が優れない中、アメリカへ渡り、日本の立場を訴えるなど平和活動にその人生を捧げました。

多くの人がわたしたちと同じか それ以上に、 理性を働かせている

良識は誰もが 持っている

ルネ・デカルト

デカルトは「良識（＝理性）はこの世で最も公平に分け与えられているものである」と言っています。環境や人種に関係なく、誰もが理性を持っており、その人なりに何かを考えているため、一見、自分には理解できない人たちからも、学ぶことはたくさんあります。他人の意見にも耳を傾け、相手を理解しようと努めることで、新しい発見が得られるかもしれません。

KEY WORD

デカルトの生涯

1956年、フランスの貴族の家に生まれた哲学者デカルトは、子どものころから頭脳明晰（ずのうめいせき）で、論理学、形而上学、自然学、占星術、魔術、法学、医学、数学など数多くの学問を学びました。中でも数学は、デカルトの思想に大きな影響を与えており、物事を一つ一つ検証していく彼の思考法は非常に数学的です。そんな"論理的思考の大家"ともいえるデカルトですが、旅をし、様々な人との交流することも大切にしていました。旅を通じて、机に向かって勉強しているだけでは得られない多くの気づきを得ようとしていたのでしょう。

人間は〜
なにひとつ自然がつくったままに
しておかない。
人間そのものさえそうだ

放置すれば、
もっと
悪くなる

ジャン・ジャック・ルソー

教育論の名著『エミール』の一節。人間はあらゆるものを"自然の
まま"にしておくのではなく、はみ出た所は切り落とし、足りない
所は付け足すなど、何らかの手を加えて調整したり、調教したりす
る習性があるということ。ルソーはそれを悪いことだといいながら
も、"自然のまま"を絶対視せず、人が手を加えなければ、より悪
い状態になり得ることも示唆しています。

KEY WORD

一般意志

一般意志とは「常に公の利益を目指す普遍的な意志」のこと。ル
ソーが生きた18世紀のフランスは階級社会であり、貴族は贅沢
な暮らしをする一方で、平民は貧しく苦しい生活を余儀なくさ
れていました。そんな不平等な社会に対しルソーは「人間は個
人的な利益（特殊意志）だけではなく、公の利益（一般意志）を
望むことを生まれながらに持っているのだから、それに従うこ
とこそ『自由』である」と主張。そして個人の持つ自由と権利を
共同体である「国家」に譲り、国家は一般意志によって統治され
るべきだという、理想の国家像を提唱しました。

ルソーの思想はフランス革命だけでなく、日本の明治時代に興った
自由民権運動にも影響を与えたことで知られています。

理性は習慣として結晶した
無知や偶然にもとづく
過去の束縛から人間を解放する

理性は未来を
つくる

ジョン・デューイ

デューイは理性を「創造的知性」と呼び、それは「経験を踏まえた自己創造である」と述べています。つまり理性とは、経験を踏まえて、より良い未来をつくるためのものなのです。人間の理性には、より良い未来を形づくるためのヒントがたくさん内包されており、それを上手に活用することができれば、私たちは自分を大きく成長させることができます。

KEY WORD

デューイの生涯

ジョン・デューイ（1859〜1952年）はアメリカを代表する哲学者の一人です。大学卒業後に二年ほど高校教師を勤め、それから哲学者を志したと言われています。初期にはヘーゲル（55ページ）に影響を受けていましたが、徐々にプラグマティズム（実用主義）の立場へと変わっていきました。また彼が主に活躍したのは、第一次世界大戦が勃発していた混乱期にあたります。そうした中、デューイは各国へ歴訪し「社会の問題を解決するために知識を活用する」という考えを強め、個人の幸せと社会の幸せのバランスを模索し続けました。

教養とは想像力の成長のことを言うのである。そして、教養と言うことが民主主義の合言葉になる

想像は
民主主義を
創造する

ジョン・デューイ

デューイは学校で身につける教養、想像力（物事を予想して有様を捉えようとする力）を生活の中に浸透させていくように育てるべきとしています。また、想像するために用いる知識・経験は、生活をよりよくするための道具として使われるものであり、この生活向上を目指す姿こそ、民主主義の基本であると述べています。

KEY WORD

デューイの教育思想

ジョン・デューイは、アメリカの哲学者であると同時に教育者でもありました。デューイの提唱する教育は「問題解決」を原理としており、教育は実生活の改善を図ることが目的とされていました。このため、授業内では社会や実生活で抱える問題を扱い、その問題をどのように解決するのかを主な活動としていました。また、問題解決の過程で子どもたちが主体的に学習に取り組む姿は、社会をより良く変革していく姿であるとして、終戦後の日本の教育にも大きな影響を与えました。

人間は自由の刑に処せられている

> 責任を持って
> 自分の人生を
> 生きよ

ジャン・ポール・サルトル

無神論的実存主義の哲学者サルトルが、「人間の自由」について講演で語った一節。人間は限りなく自由だが、それゆえ自らの選択に責任を追わなければならず、言い訳はできないということ。神や絶対的な基準がない世界で、主体性を求められながら生きる人間は、常に不安で孤独な存在です。しかし、だからこそ人は個性を発揮し、強くなれるのです。

KEY WORD

レゾンデートル（存在理由）

「存在する理由」や「存在価値」という意味のフランス語「raison d'etre」。個人の生きる理由や価値など、主に哲学的な文脈で用いられており、サルトルはこの言葉を頻繁に使用しました。第二次世界大戦後、ヨーロッパで流行した実存主義哲学（68ページ）は「人間は行動することで何者かになれる」という思想が根底にありました。また、人間の存在理由を問う考え方は、当時、実存主義哲学の核心に迫るものとして重く扱われていました。実存主義哲学が日本にも輸入されると、この概念は日本語に訳されることなく「レゾンデートル」として使用されるようになります。

悪の陳腐さ

悪（の正体）は
くだらない

ハンナ・アーレント

この名言は「悪はくだらない」と言い換えることができます。では、なぜ彼女はそう語ったのでしょうか？　それは、ユダヤ人への大虐殺を担ったナチス党員アドルフ・アイヒマンが、特に動機もなく「仕事だから」という「陳腐」な理由で、巨悪に加担していたからです。つまりこの言葉は、私たちに「思考停止が時に残酷な結末をもたらす」ということを教えてくれます。

KEY WORD

アイヒマン裁判とアーレント

大虐殺を担った人物と聞くと、大変恐ろしく、まるで悪魔のような人物を想像するかもしれません。しかし、アドルフ・アイヒマンの戦争犯罪を裁いたいわゆる「アイヒマン裁判」を傍聴したアーレントは、彼のことを“ポジティブな人”“正常な人”“家族に対する対応は模範的”と、ごく普通の人物であったと評しています。つまり、誰しもがアイヒマンのように恐ろしいことを無意識にやってしまう恐れがあるということ。まずはこの現実を受け止めなくてはならないのかもしれません。

生命は短く、
術は永遠である

少年老い易く、
学成り難し

ヒ ポ ク ラ テ ス

医学の父、ヒポクラテスの残したとされる言葉です。技術や芸術を
追求することは永遠に等しい時間が必要であり、対して命というも
のは非常に短く、十分でないという意味です。誰もが一度は、何か
を極めたいと思うものですが、真の意味で極めるためには、人生の
短さを念頭に置き、さらに自分自身の特性を見定めたうえで取り組
むべきといえるでしょう。

KEY WORD

ヒ
ポ
ク
ラ
テ
ス
の
誓
い

これは、医師の職業倫理に関するギリシャ神への宣誓文です。
ヒポクラテスの弟子たちが編纂した『ヒポクラテス全集』に登場
します。主に医療に対する使命感・倫理観を説いた誓いで、現
在まで脈々と語り継がれており、アメリカの医学生はこの誓い
を暗唱できるまで繰り返し覚えるようです。非常に興味深いポ
イントとしては、患者の秘密を順守するという誓いが含まれて
いることです。医者は立場上、患者の個人的な部分に踏み込ま
ざるを得ないため、そのようなプライバシーに対する倫理観が
醸成されたのかもしれません。

ヒポクラテスは、医学を呪術から切り離し、臨床と観察を重視したことから
「医学の父」と呼ばれています。

『学び』とは
『想起』である

学ぶとは、
思い出すこと

プラトン

プラトンは物事の探究や学びを「想起」と考えました。「想起」とは
すなわち、思い出すということ。彼によれば、人間は生まれる前に
イデア界（真実の世界）で完全な知識に触れており、それらを私た
ちの現実世界で思い出した時に「知った（新しいことを学んだ）」と
感じるのだといいます。このような考え方は「想起説」と呼ばれて
います。

KEY WORD

イデア

「イデア」はプラトン哲学の最重要概念です。プラトンによれば、
人間は生まれる前に魂（霊的なもの）の状態でイデア界という世
界に存在しており、そこで様々なモノの本質（イデア）を知って
いたといいます。例えば、今ここに10種類の犬がいるとします。
それぞれ自分が知らない犬種で、色も形も全て異なっているに
も関わらず、私たちは「それらは犬だ」と容易に認識すること
できます。この不思議なメカニズムを、プラトン流に解釈すれば
「私たちは既にイデア界で犬のイデアを知っており、それを現実
世界で思い出しているから」となるのです。

イデアはアイデア（idea）の語源です。

総じて値段のつくものは、
全て価値のないものである

気高き意志は
プライスレス

フ リ ー ド リ ヒ ・ ヴ ィ ル ヘ ル ム ・ ニ ー チ ェ

お金で買えるようなものは、本当に価値があるものではありません。
値段がつくということは、価値が知れているということだからです。
目に見えず、値段がつかず、手に入り難い。それこそが真に価値が
あるものといえるでしょう。

KEY WORD

ニ
ヒ
リ
ズ
ム

ドイツの哲学者ニーチェが生きたのは、科学技術が発展し、己
が信じるべきものが揺らぎ始めた時代でした。今まで宗教によっ
て支えられてきた絶対的な真理は、人類によって崩れ落ち、信
じるに値する絶対的な価値がなくなってしまったのです。その
結果、多くの人が「全ての物事に意味や価値は全くない」と見る
向きがありました。このような主義や状態をニーチェは「ニヒリ
ズム」（虚無主義）と定義しました。ニヒリズムを克服し、どの
ようにして自分が信じる価値を見出すのかが、これからの時代
を生きる人々にとって重要なテーマといえるでしょう。

今でこそ哲学者として著名なニーチェですが、当時発売した書籍は
全くといっていいほど売れませんでした。

外を見る者は夢を見、内を見る者は目覚める

内省で人は
目覚める

カール・グスタフ・ユング

外の世界は、何らかの意図が含まれた刺激、呼びかけ、暗示などによって満ちています。それらに条件反射的に身を委ねる時、私たちは夢を見ているともいえるでしょう。一方、自己の内面を深く観察することで、自分が本当に望むものを発見することがあります。その瞬間こそ、まさに"内を見る者の目覚め"なのかもしれません。

KEY WORD

類型論

スイスの精神科医ユングは、現在に至るまで広く活用されている、人の性格をタイプ別に分類する「類型論」を提唱した一人です。ユングは、人間を大きく「外向型」と「内向型」に分けました。外向型は興味や関心が自分の外側に向かう人のことを指し、快活で社交的ですが、特徴としてまわりの人に左右されやすい点が挙げられます。一方、内向型は自分のエネルギーが内面に向かうタイプで、社交性は高くないものの内面の充実を重視することが特徴です。ユングは、さらにそこから八つのタイプに分け、自らの精神分析に大きく活かしました。

第4章 知性を磨く言葉

自分の力の限界を
認識しなくなった時から、
人間は自分自身を
破壊するようになるのです

人間は特別で
はない

クロード・レヴィ・ストロース

世の中は様々なもので構成されており、われわれ「人間」もその一部です。動物や植物、さらには地球そのものも、いずれは存在しなくなる時が来るでしょう。このように想像すると、自分を含む「人間」というのは、特別なものではないのかもしれません。一方で、「たくさんあるうちの一つ」という認識は、まわりに多くの仲間がいることも気づかせてくれることでしょう。

KEY WORD

野
生
の
思
考

文化人類学者レヴィ・ストロース（1908-2009年）の代表的な著作である『野生の思考』は、1962年に出版されました。この本は、レヴィ・ストロースが、同じくフランスの哲学者ジャン＝ポール・サルトル（20ページ）を批判したことで有名です。サルトルらが唱えた「西洋の民族が道の先頭を進んでおり、未開の民族は先頭に追いつこうとする途上である」という考え方に異を唱えました。そして、どの民族もそれぞれに適した合理的な思考と文化を持っており、どちらか一方から見たものが絶対ではないという考えを示したのです。

『野生の思考』（クロード・レヴィ＝ストロース著、みすず書房、1976年）

世界は人間なしに始まったし、
人間なしに終わるだろう

自文化中心
主義を
やめなさい

クロード・レヴィ・ストロース

人類は500万年前に誕生し、農耕や科学技術などによって文明を築き、あらゆる繁栄を謳歌してきました。しかし21世紀に生きる私たちはいま、豊かさや便利さの代償として、自然破壊や異常気象といった、数多くの社会問題に直面しています。人間中心的な繁栄は、地球に修復不可能な傷を与え、人間そのものを滅ぼしかねないのです。

KEY WORD

構造主義

レヴィ・ストロースは、人が地域や職業などの社会的な構造に無意識に支配されており、自由に思考や行動を決めているわけではないと考えました。例えば、仕事上の規則や地域、家庭のしきたりなど、自身が所属している社会から無意識に"常識"を植え付けられ、思考や判断する際にはこれが大きく影響を与えます。自らが置かれている環境に存在する風習や規則の偏りは、その場から眺めていてもなかなか気づくことはできません。ある一つの事実や現象をそれそのものからではなく、社会の構造から捉える考え方を、構造主義といいます。

『悲しき熱帯』(レヴィ=ストロース著、中央公論新社、2001年)

自己肯定感を高める言葉

あなたが会うみんな、厳しい闘いをしているのだから 親切にしなさい プラト

貪欲は勤勉の鞭であ

性質はおのずから異なる 鳥は飛び、魚は水に沈み、そ デイヴィッド・ヒュー

の習慣は、どんな習慣にもなじしまない ということだ ジャン・ジャック・ルソー

事実というものは存在しな 存在するのは解釈だけであ フリードリヒ・ヴィルヘルム・ニーチェ

いつかできることはすべて ブレーズ・パスカル

第 **5** 章

ヴィクトール・エミール・フランクル　復讐する

どんな人生とか、すがりどんな状態状態生とかすがりつき態味があります

ヴィクトール・エミール・フランクル

言葉を大事にするということが、自分を大事にするということなんだ　池田晶子

ある彼れを知り己れを知らば

百戦して殆うからず　孫子

自分自身に
そう思われるだけでよい。
それで十分である

他者評価の
奴隷になって
はいけない

エピクテトス

奴隷でありながら、ストア派（106ページ）の哲学者だったエピクテトスの言葉です。人はどうしても「まわりからよく見られたい」と考えてしまうもの。かといって、他人からの評価を得るために、自分の意に反した行動ばかりしていては、きっと人生を満足したものにできないでしょう。本当に大切なことは、誰にどう思われるかではなく、自分で自分を誇れるかどうかなのです。

KEY WORD

古代ローマの奴隷制度

古代ローマ時代における奴隷とは、今日定着している奴隷のイメージとは若干異なります。というのも、当時は一般的な農業従事のほか、家庭教師や医師などの高度専門職も奴隷の仕事だったのです。とくに、高い水準で知的労働ができるギリシャ人奴隷などは、厚遇されていました。また、奴隷は主人の所有物とされていましたが、貯金や結婚なども可能で、さらには貯めたお金で奴隷の身分を買い上げることも可能でした。このように、長年の労働に報いる形で、主人から解放された奴隷は「解放奴隷」と呼ばれ、その子どもはローマの市民権を与えられました。

エピクテトスは、奴隷でありながら哲学を学ぶことを許され、後に主人から解放されています。

074

愛というものは、愛されることよりも、むしろ、愛することにあると考えられる

真の愛は
見返りを
求めない

アリストテレス

愛の本質は、他人からもらい受けることよりも、むしろ自分から与えることにあると、アリストテレスは説きました。ここでいう「愛」とは、男女間の恋愛に限定されるものではありません。友人や家族など、周囲のもの全てを思いやり、慈しむことこそが愛なのです。

KEY WORD

中庸

アリストテレスは、愛の条件を三つに分類しました。それは、「① 善いもの ②有用なもの ③快いもの」です。彼は、その中でも「善いもの」であることを重視しました。なぜならば、お金や外見などの条件や表面的な心地よさだけで成立する愛は、その時々で変化し、脆いためです。また、善い愛を実現するためには人から愛されるだけでなく、人を愛することのできる対等な状態を目指し、努力すべきだと考えました。つまり愛する人に愛されるという中庸（偏りのない状態）を目指すことこそ、善く生きることに繋がるのです。

0 7 5

自分に必要なものは全て、
自分自身のなかにある

いま
在るものを
大切にしよう

マルクス・トゥッリウス・キケロ

人間は「自分が持たないもの」に目がいきがちです。中には、その不足を嘆（なげ）いている人もいるでしょう。そんな時、覚えておきたいのが「本当に必要なものは、最初から自分の中にある」という発想です。私たちは、新たに何かを手に入れるという選択肢だけでなく、既にあるものを再評価したり、発展させる選択肢も残されているのです。

KEY WORD

ストア派

キケロが影響を受けた「ストア派」とは、紀元前3世紀に古代ギリシャで誕生した哲学の一派で、創始者のゼノンは次のように考えました。「欲望に振り回されず、理性（ロゴス）でコントロールし、禁欲的に生きなさい。そうすることで、いずれは欲望から解き放たれ、不安からも解放されるだろう。幸福は追うものではなく、徳を実践した結果得られるものである」。その影響力は凄まじく、ローマ帝国のリーダーのほとんどがストア派の支持者でした。なお、ストア派の「ストア」とは、ゼノンが講義をしていた柱廊（ストア）に由来し、「ストイック」という言葉の語源です。

　キケロの『友情について』は、友情論の最高峰と謳われており、
人間関係に悩んでいる現代人必読の古典です。

知者は、時間についても、最も長いことを楽しむのではなく、最も心地よい時間を楽しむのである

ほどほどが一番美しい

エピクロス

食事も "腹八分" と言うように、快楽の大きさや長さよりも適切な時間で適切な分量を楽しむことが大切です。なぜなら人間の欲望には限りがないため、求めれば求めるほど、心は渇きを覚えるからです。何事も程々にしておくことが幸福に生きる極意なのでしょう。

KEY WORD

快楽主義（エピクロス派）

エピクロスが生きたのはヘレニズム時代。ポリスと呼ばれる都市国家がなくなり、これまで政治的な方針に従っていた人たちが新しい指針を探している時でした。そんな時、登場したエピクロスの哲学は「快楽主義」と呼ばれます。社会に従うのではなく、個人が快適に思うことに従う。他人の軸ではなく、自分軸で生きようという考え方です。快楽を追求して性欲や食欲を際限なく満たすべき、と誤解されがちですが、そうではありません。強い欲望を排除した後の心の平穏こそが真の快楽で、日々の小さな幸せを正しく感じながら生きることを目指しました。

第5章　自己肯定感を高める言葉

すべての高貴なものは、
稀であると同時に困難である

継続は難しい
からこそ
価値がある

バ ー ル ー フ ・ デ ・ ス ピ ノ ザ

これは『エチカ』の最後に書かれた言葉です。スピノザは、高貴な
ものとして哲学者のあくなき探究を例に挙げています。自らの生涯
をかけた哲学者の探究は、誰もが簡単に行えるものでありません。
そのような非凡な活動を行うことは困難だからこそ、希少なものと
して、その価値が輝くのです。

KEY WORD

スピノザと哲学史

哲学史におけるスピノザの立ち位置は、大陸合理論（141ページ）
に位置づけられます。この思想はデカルト（90ページ）に始まり、
確実な知識の源泉を理性による思考に求める考え方です。デカ
ルトやスピノザ以外にも、ライプニッツ（109ページ）らが代表的
な論者として挙げられます。また、これに相対して存在するのが、
イギリス経験論（163ページ）です。これはイギリスのベーコン（131
ページ）を祖とし、ロック（72ページ）や「存在するとは知覚される
こと」で知られるバークリーなどが発展させた、生後の経験を重
視する立場を指します。

苦いものを
味わったことのない者は、
甘いものを得たことがない

辛い経験が
その後の幸福
の糧となる

ゴットフリート・ライプニッツ

人は物事を相対的に判断します。つまり、何かと何かを比べることで良し悪しを決めているのです。辛い経験によって自分を否定したくなったとしても、その経験があったからこそ、後に、相対的に幸せを感じられるようになります。酸いも甘いも知ること。それが人生を充実させる秘訣と言えるでしょう。

=== KEY WORD ===

ライプニッツの生涯

ライプニッツ（1646-1716年）は哲学者として知られますが、数学、自然科学、法学、言語学など多方面に精通し、さらには外交官や技術者としても活躍しました。大学時代に、法律を学ぶことと並行して哲学にも興味を持ち始め、大学卒業後は力学や数学を研究するようになります。また、1700年にはベルリン科学アカデミーを創設し、初代院長に就任しています。このように、幅広い専門領域を誇っていたことで、少数の単純概念とそれらを含む仮定からの演繹によって、全ての学問認識を導き出そうとする壮大な「普遍学」を体系づけました。

微積分法をめぐり、ニュートン（130ページ）とライプニッツの
どちらが先に考案したか、論争が起きました。

習慣は
第二の天性なり

天性は
つくれる

マルクス・トゥッリウス・キケロ

天性とは、生まれもった性質や才能のこと。しかしキケロは、自分で創り上げた習慣も、一つの天性であると説きました。実際に私たちは、習慣によって身につけた“後天的”な力が、生まれ持った“先天的”な力を凌ぐ瞬間を経験します。キケロが指摘した第二の天性をいかに活用するかが、人生を大きく左右するのかもしれません。

KEY WORD

キケロの生涯

キケロ（前106-前43年）は、共和政ローマ末期に政治家、弁護士、哲学者として活躍した人物。政治家としては、カティリーナ陰謀事件を解決するなど活躍します。しかし、後年は大臣を補佐する政務官の地位にいたカエサルやアントニウスと対立し、最後はアントニウスの手によって殺害されます。哲学者としては、ギリシャ哲学をラテン語に訳し、ローマに広めるなど功績は大きく、モンテスキュー（74ページ）やカント（75ページ）に影響を与えたとされています。著書には、『国家について』『老年について』『友情について』などがあります。

　この名言はキケロの他に、古代ギリシャの哲人ディオゲネスの言葉とする説があります。

この自由に至る唯一の道は
「我々次第でないもの」を
軽く見ることである

自由は自分の
中にある

エ ピ ク テ ト ス

この名言は「自分でコントロールできる範囲のことに集中せよ」と
解釈できます。例えば、私たちは雨を止めることはできませんが、
雨に濡れないように傘を持ったり、外出を控えたりといったことは
可能です。このように、どうしようもない出来事自体を変えようと
のではなく、それに対して自分がどのような判断と行動をするかが
大切なのです。

KEY WORD

エ
ピ
ク
テ
ト
ス
の
生
涯

エピクテトス（50年頃-135年頃）は古代ギリシャの後期ストア
派（106ページ）の三大哲人［エピクテトス、セネカ（153ページ）、
マルクス・アウレリウス・アントニヌス（22ページ）］の一人です。
もともと奴隷の哲学者だったエピクテトスでしたが、奴隷解放
後はギリシャ東部の都市で哲学の学校を開き、皇帝ハドリアヌ
スも訪れたと伝えられています。エピクテトスは、内なる理性
を働かせて外の世界を分別し、それに合わせて自分自身の選択
をするという「理性による選択」を主に説きました。

一番大切なことは単に生きることそのことではなくて、善く生きることである

道徳的な
正しさを
大事にしよう

ソクラテス

何の目的ももたず、ダラダラと時を過ごす人。自分の欲望のままに利益を貪り、不正をおかす人。このように人間の生き方は千差万別です。しかしソクラテスは、人生において重要なのは、「徳についての正しい知識を持ち、徳に従って生きること」だと説きます。そして、正しい知識を愛し、追及する営みのことを"哲学（フィロソフィア）"と呼んだのです

KEY WORD

知徳合一
（ちとくごういつ）

「人はアレテー（徳）を持っていれば、心の平穏を保つことができる」とソクラテスは説きました。「アレテー」とは、その物の固有の機能や性質を指します。靴には「履ける」機能があり、帽子には「被れる」機能があるように、人間にとってそれは「善悪を理性的に判断すること」だと、ソクラテスは言いました。「知徳合一」とは、ソクラテスが唱えた概念で、人が善く生きるためにどうすればよいか哲学し、善いものについての知識を持つことは、善い生き方に繋がるという事を指します。つまり「知」を持つという事は「徳」を身につける事と同一なのです。

上記の名言は、死刑を命じられたソクラテスが判決を受け入れ、毒を飲んで自殺する直前に言ったそうです。

幸福にするものが
善であるのではなく、
善であるものだけが
幸福にするのである

幸せに
飛び級はない

ヨ ハ ン ・ ゴ ッ ト リ ー プ ・ フ ィ ヒ テ

ドイツの哲学者フィヒテのこの名言は「幸せにならなければ」と、肩肘を張ってしまいがちな私たちの気持ちをラクにしてくれます。幸せは、決して追い求めるものではなく、善き行いを毎日積み重ねることによって、幸福へと導かれるのでしょう。もしあなたが今、自らを幸福だと思えなくとも、日々の一歩一歩が、結果的にあなたを幸せにしていくのです。

KEY WORD

ドイツ観念論

カント (75ページ) は「理論理性」と「実践理性」を提唱し、認識と行動では異なる理性が働くと考えました。これに対し、理性を二つに分けるべきでないとしたのが「ドイツ観念論」です[*1]。論者の一人であるフィヒテは、理論理性も実践理性も「自我」の仕組みとして説明できるとしました。例えば、今までアンチエイジングに興味がなかった人も、いざ自分が老いを感じると、熱心に調べるかもしれません。つまり、行動と認識は一体になっているとも言えます。これらドイツ観念論はカントに始まり、後にヘーゲル (55ページ) が完成させることになるのです。

美は主観的なものである。美は美を評価するものの、好みに応じて変化する

自分が美しいと感じたならそれでいい

ジョルジュ・バタイユ

「美」や「愛」を追求したバタイユの名言。中世の哲学者カント（75ページ）は「対象は認識に従う」と言いましたが、バタイユは美的判断において同じように考えました。Aさんから見れば、落書きにしか見えない画でも、Bさんから見ると、素晴らしい芸術作品に感じることもあり得るように、何を美とするかは私たちの自由なのです。

KEY WORD

エロティシズム

フランスの哲学者バタイユ（1897-1962年）は、動物が性活動を"生殖"としてのみ捉えている一方、人間が性活動を"エロティックな活動"と捉える原因は、人が「エロティシズムを持つこと」にあると説明しました。また、その本質は「禁止を侵すこと」にあり、禁止されているからこそ、私たちの欲望をかき立てるのです。加えて、バタイユは「禁止の侵犯に不安がともなうこと」で、初めてエロティシズムが成立するとも考えました。だからこそ「婚姻関係の侵犯」かつ「社会的なダメージを受ける不安」を兼備する不倫は、いつの時代も盛んなのかもしれません。

バタイユは、ドイツの哲学者ニーチェ（41ページ）の思想に強い影響を受けたことで知られています。

他人と比較してものを考える習慣は、致命的な習慣である

比較するなら
過去の自分と
比べよう

バートランド・ラッセル

人間は生まれや育ちも、いま置かれている環境も、長所も短所もそれぞれ異なります。にもかかわらず、単純な尺度で互いの優劣を判断していると、自分のダメなところばかりに目が生き、次第に自分を愛せなくなっていきます。辛くなるほど他者比較に囚われてしまった時は、自分は自分、他人は他人と割り切る勇気が必要です。

KEY WORD

ラッセルの思想

ラッセル（1872-1970年）はイギリスの哲学者。貴族の生まれであり、名門ケンブリッジ大学に入学し、1950年にはノーベル文学賞を受賞するなど、輝かしい功績を残しています。他人との比較は、自分よりすごい人と比べてしまうことによる弊害を想像しやすいですが、「20世紀最高の知性」と呼ばれる彼ですら、他者比較はすべきでないといいます。ほとんどの物事には上には上がいますし、自分の苦手な部分に至っては、人と比べてしまうと多くの人に対し劣等感を抱きかねません。誰かを羨んだり、妬んだりしたくなった時、ラッセルの言葉を思い出しましょう。

アインシュタインとともに核廃絶を訴えたり、
「ラッセル法廷」を開催するなど、平和活動にも熱心でした。

あなたが経験したことは、この世のどんな力も奪えない

過ごしてきた
時間は自分
だけのもの

ヴィクトール・エミール・フランクル

私たちは、過去の経験を積み重ねて生きています。喜びに満ちた日々も、失敗や挫折に苦しんだ日々も、やがては過去のものとなります。置かれた状況と真摯に向き合ってきた過去は、その人固有の経験として保存され、この世の誰もどんな力によっても奪うことはできないのです。

KEY WORD

ロゴセラピー

「ロゴセラピー」は「人生に意味を見出す」ための心理療法を指します。フランクルは、生の意味を「創造」「体験」「態度」の三つの価値に分けました。世の中に何かを与えたり（創造）、世の中にあるものを受け取ったり（体験）することで、人は生きがいを感じることができます。しかし、主体的に「創造」も「体験」もできないような苦境にある時、人は生きる意味を持ち続けることができるでしょうか。「態度」は、そのような苦境に直面した時、人間の尊厳に価値を見出すものです。人は死ぬ直前まで勇気や品格を保ち、生きる意味を証明することができるのです。

自分を信じよ。
あなたが奏でる力強い調べは、
万人の心をふるわせるはずだ

自分を
信じれば、
他人を
も動かす

ラルフ・ウォルドー・エマーソン

人生において大切なのは、他人や社会に依存せず自分を信じ、力強く自分自身の人生を歩んでいくことです。自分の中から湧き上がる真理や価値観を大切にし、主体的に生きていくことが、幸福な人生に繋がります。そして、その自信を持って歩む生き方は、いつしか周囲の人々にも良い影響を与えることでしょう。

KEY WORD

自己信頼

エマーソンが唱えた「自己信頼」とは、「自分に正直に生きることが、人生に調和をもたらす」という考え方です。運命に翻弄されたとしても、その責任を運命に押しつけるのではなく、あくまで自分の人生に対しては自身でしっかり向き合うべきだ、と唱えました。これらの価値観は、ニーチェ（41ページ）や福澤諭吉（88ページ）、宮沢賢治らにも影響を与えてました。また、同名の『自己信頼』という著作は、史上初のアフリカ系米国大統領となったバラク・オバマ氏の座右の書としても知られています。

あるがままの自分を喜んで受け入れることが、幸福の要だ

本当の自分を
しっかり
見つめよう

デジデリウス・エラスムス

幸福に至る道へ到達できる人は、まず自分自身を知り、受け入れる準備ができた人だけかもしれません。しかしそれは、怒りや嫉妬などの負の感情にただ流されてよいということを意味しません。自分の心の衝動を全て認識し、理性によって抑制することが、幸福になるための条件なのです。

KEY WORD

エラスムスの生涯

エラスムスは、1466年にオランダで生まれた人文学者です。カトリックの司祭でありながら、当時腐敗していた教会を批判し「エラスムスが産んだ卵をルターが孵した」といわれるように、後のルター（73ページ）の宗教改革に多大な影響を与えました。しかし、本人はルターの宗教改革には批判的で、生涯を通じて敬虔なカトリック信者であり続けました。また、イギリスの思想家であるトマス・モアと友情を深め、著作『痴愚神礼讃』は、モア邸にて約一週間で書き上げたといわれています。

偉大なことを成し遂げる人は、いつも大胆な冒険者である

大胆さが時代
を動かす

シャルル・ド・モンテスキュー

大きな目標や挑戦というのは、従来の思考や行動では達成されません。今までにはなかった視点を取り入れ、時にまわりから理解を得られないぐらいの大胆さをもって、初めて実現できるものです。自分のチャレンジに対して、「無理だ」「やめておいたほうがいい」、そういわれた時こそ、自らの意志を肯定すべきなのかもしれません。

KEY WORD

三権分立

国家の統治権を立法・行政・司法の三つの権力に分け、それぞれを別の機関として独立させることで、権力の集中を防ごうとする原則。ロック（72ページ）が提唱し、モンテスキューが確立しました。今でこそ、立法権・司法権・行政権はそれぞれ独立していますが、彼が生きた当時のフランスはそうではありませんでした。"太陽王"と称されたルイ14世が三つの権力を一手に掌握し、独裁政治を行っていたのです。モンテスキューは、そんな既存の政治体制に疑問を持ち、20年もの歳月をかけて「三権分立」を実現しました。

暗闇の中でこそ、星が見える

逆境に光を
見出そう

マーティン・ルーサー・キング・ジュニア

星は昼間でも空に存在していますが、夜にならないと光を放たず、目視することができません。このように辛い出来事に見舞われている最中でも、実は楽しいこと、喜ばしいことは存在しているのです。むしろ、そんな時だからこそ、些細な出来事にも喜びを見いだせるようになったりします。逆境に見舞われても嘆かず、星のような出来事を探してみましょう。

KEY WORD

私には夢がある

1963年にアメリカで人種差別撤廃を訴えた演説での有名な一節です。キング牧師は公民権運動の先駆的なリーダーであり、1964年にはノーベル平和賞を受賞しています。黒人であった彼自身も差別に苦しんだ経験がありましたが、演説では「いずれ黒人と人種差別主義者同士が手をつなげるようになる」という夢を語りました。差別してきた人達を憎むのではなく、差別を乗り越えた先を目指したこの言葉は、極めて有名なフレーズとして後世に語り継がれています。

キング牧師の提唱した「非暴力主義」は、ガンジーに大きく影響を受けています。

困の人を進むるは、
徳の弁つが為なり、
感の速かなるが為なり

逆境こそ
チャンス！

朱子

「困難が人の道徳性を高めるのは、艱難辛苦によって、その人の徳の真偽が弁別され、速やかに感奮するからである」という意味。人は困難に直面すると、心が動揺し、自分の人間的な脆弱さが露呈されてしまうことがありますが、それは自分の弱さを克服し、人間性を涵養する良い機会ともいえます。困難をチャンスと捉え、自らを奮い立たせましょう。

KEY WORD

理気二元論

理気二元論とは、宇宙や万物は「理」と「気」によって構成されているといった考え方のこと。理とは、宇宙の根本原理・自然法則、絶対善を意味する概念。一方、気とは、万物の構成要素としてのエネルギーのことを示しています。また理気二元論は、気の集まりが理をつくり、理が気を生み出すといったサイクルで世界は回っているという自然観を提示しています。こうした自然観は、周濂渓、程兄弟などの宋代の哲学者たちによって概念化され、さらに朱子が体系化し、朱子学の基軸となる思想としました。

朱子は大変な読書好きだったそうですが、多読派ではなく、熟読派だったようです。

燕雀いずくんぞ
鴻鵠の志を知らんや

大物は周りの
目を気にする
暇もない

司馬遷

「小さな鳥には大きな鳥の志など理解できない」。つまり、器の小さい人々には、大物が抱く理想や志など、理解できないということ。夢や志とは、壮大であればあるほど冗談や絵空事として受け取られてしまうものです。しかしまわりにどう思われようと、気にすることはありません。「他人から見ればそういうもの」と受け流し、自分が今すべきことに集中する姿勢が大切です。

KEY WORD

「陳勝呉広」は諺で、司馬遷が編纂した『史記』に現れる陳勝という人物に由来します。彼は自分の志について雇い主に伝えると、冗談と解され笑われました。その際に放った言葉がこの言葉でした。後に陳勝は、秦の理不尽な圧政に対して反乱を起こし、それ自体は長く続かなかったものの、後の中国統一に貢献したとして大きな功績を勝ち得ました。その結果、今でも、ものごとの先駆けとなる人のことを「陳勝呉広」というようになり、陳勝の名前は後世に残ることとなりました。

陳勝呉広

陳勝が抱いた反乱の意志は、「臥薪嘗胆」のエピソードでも知られる項羽と劉邦に引き継がれていきました。

信念 | 初心者向け | 対話形式

「哲学を学び始めたいのですが、どの本がおススメですか？」と聞かれることがありますが、そんな人に向けて、ご紹介したいのが『ソクラテスの弁明』です。タイトルに「弁明」とあるように、ソクラテスは裁判にかけられてしまい、無実の弁明をするという内容の話です。では、なぜ彼は裁判にかけられたのでしょうか。それは、問答法によって他人の無知を暴き続けた結果、権力者の反感を買い、不正な裁判にかけられてしまったからです。ところで、ソクラテスといえば、「無知の知」というキーワードが有名です。この言葉は「私は、知らないことを知っている。だから、偉い」と理解されがちですが、これは誤解といえます。彼が訴えたかったのは、「不知の自覚」。つまり不知を自覚しなければ、「知を愛し求める」ことができないと考えたのです。Philosophy（哲学）の語源は「フィロソフィア」（＝知を愛する）というギリシャ語に由来します。ソクラテスが問答法をおこなったのは、「人間は不知を自覚し、知を愛し求める哲学者であるべき」と伝えたかったことが背景にあったのでしょう。上述のように権力者の反感を買い、裁判にかけられますが、そのような状況でも臆することなく、「息の続く限り、可能な限り、私は知を愛し求めることをやめません*1」と言ってのけた本物の哲学者であり、そんな彼の生きざまを見れるのが『ソクラテスの弁明』なのです。

*1『ソクラテスの弁明』、プラトン著、光文社、62頁

『ソクラテスの弁明』
プラトン著／納富信留訳
（光文社古典新訳文庫）

新たな
気づきを得る
言葉

ヴィクトール・エミール・フランクル 復讐する

どんな人でも、イエス・キリストという意味があります

言葉を大事にするということが、自分を

大事にするということなんだ 池田晶子

ある彼れを知り己れを知らば

百戦して殆うからず 孫子

ほとんどの人間は、自分が信じたいと望むことを喜んで信じるものである

人は見た
ものしか
見ようとしない

ガイウス・ユリウス・カエサル

人は往々にして、自分が信じたいことを盲目的に信じてしまいます。本来なら、実際の状況を調べ、客観的に判断する必要がありますが、「こうであったら嬉しい（楽である）」という感情によって、考える手間を怠り、判断を誤ってしまうのです。こういった認知バイアスを理解したうえで、私たちはあらゆる物事に対処していく必要があります。

KEY WORD

『ガリア戦記』

カエサルは共和政ローマの執政官として、現在のフランス地方であるガリアを制定するために派遣されました。『ガリア戦記』は、そんな7年間に及ぶガリア民族との戦いの様子をカエサル自らが記録したもので、もともとは元老院への戦況報告として書かれていました。ガリア戦が始まって3年目。カエサルの副官サビヌスが、敵であるウェネッリ族に「ローマ軍が撤退する」との噂を流して勝利しました。そこで、カエサルはなぜ敵が騙されたのかを説明する中で、上記の名言が登場しています。

原文は「homines id quod volunt credunt」で「人は噂の虜になりやすい」とも訳されます。

われわれは短い人生を うけているのではなく、 われわれがそれを 短くしているのである

多忙な人の
人生は短い

ルキウス・アンナエウス・セネカ

多忙に追われ「生きる」ということをなおざりにしていると、人生はあっという間に終わってしまいます。他人のためではなく、自分自身のために時間を使うことの重要性をセネカは2000年以上も前から指摘していました。「あれをやっておけばよかった……」と後悔しないよう、自分自身の行動をよく振り返り、限りある時間を大切に使いましょう。

KEY WORD

『生の短さについて』は、古代ローマ帝国の政治家セネカの代表的著作です。この作品は、当時ローマの食料長官として多忙を極めていた、親戚のパウリヌスに宛てた手紙として書かれたものです。本書においてセネカは、他人に頼まれた仕事に忙殺されるのではなく、自分自身のために時間を使わなければ"よく生きる"ことはできない、と説いています。便利な世の中になったにもかかわらず、なぜか時間に追われて過ごしている……。そんな現代人こそ、セネカの言葉に耳を傾けてみる必要があるでしょう。

『生の短さについて』

第6章　新たな気づきを得る言葉

『生の短さについて』（セネカ著、岩波書店、2010年）　｜｜　**127**

092

不死で至福な実在には、われわれに疑念や動揺をほのめかすようなものは絶対に含まれていない

確かなもの
こそ重要

エピクロス

より強い快楽や大きな幸せを得ようとして、運や予言など確かでないものに自分の人生を預けるのは、避けたほうがいいのかもしれません。「大丈夫かな？」と少しでも不安に感じることからは距離を取る。自分がコントロールできることに集中し、不安をなくすことで、真の快楽や幸福は得られるのです。

KEY WORD

エピクロスの生涯

エピクロスが生きたのは紀元前341年頃から前270年頃のヘレニズム時代です。ピタゴラス（51ページ）と同じサモス島で生まれました。裕福な家庭に生まれ、アテナイに庭園を購入。そこで「庭園学校」を営んだのです。過剰に求めず、物事をあるがまま楽しむ「素面の思考」を研究し、弟子たちと静かな快の生活（快楽主義、107ページ）を送りました。そして彼は、友人を訪ねる数度の旅行以外はこの学園で過ごし、72歳でこの世を去りました。エピクロスの著作は、完全な形では現存しておらず、彼が弟子たちに書いたとされる手紙や著作の断片のみが残されています。

　美食や性愛の快楽を追求する人をエピキュリアンと呼ぶのは、エピクロスに由来しています。

君にとって
悪いこと、害になることは
絶対に君の
精神においてのみ存在するのだ

> 思い込みが
> 自分を責める

マルクス・アウレリウス・アントニヌス

何か嫌なことがあると、ネガティブな気持ちが徐々に大きくなっていくことがあります。もし、そのような状況になった際には、どんなことに対して自分は苦しむ傾向があるのかどうか、自分に尋ねてみてはどうでしょうか。自分で苦しみを大きくしているだけというケースが意外に多い、と気づくかもしれません。

KEY WORD

アウレリウスの主著『自省録』は、ローマ帝国北方の国境で陣頭指揮を執った際に、政務の合間を縫って、自身の心情や哲学的な主張など記した備忘録とされています。断章が集まった全12巻で構成され、その中には印象深い名言が多く、一般の読者の間でも広く読まれています。原題の「タ・エイス・ヘアウトン」は、ギリシャ語で「自分自身へ」を意味します。彼はローマ人であることに誇りを持っていましたが、当時の公用語であるラテン語ではなく、哲学の分野において主流であったギリシャ語で全編を綴ったのです。

『自省録』

天体の運動は
いくらでも計算できるが、
人の気持ちはとても計算できない

人の心は
難しい

アイザック・ニュートン

私たちは、人の感情を想像することができますが、決して確実な答えは分かりません。時に勝手な思い込みで、相手を傷つけることもあります。ニュートンは数多くの功績を残していますが、大変怒りっぽく、人との争いが耐えない人物だったといわれています。そんな人間関係の苦労が絶えなかった彼ならではの言葉ともいえるでしょう。

KEY WORD

ニュートンの功績

ニュートン（1642-1727年）は、17～18世紀のイギリスを代表する天文学・数学・物理学者。彼の代表的な功績の一つに万有引力の法則がありますが、それは彼の功績の一部に過ぎません。数学では微分積分法、物理では光の法則、天文学ではケプラーの惑星運動法則の解明など、その功績や発見は枚挙にいとまがありません。また、政治家、造幣局長官、薬剤師、錬金術師、神学者など、科学者以外にも多くの顔があり、中でも造幣局長官時代には金銀交換比率の決定を行い、イギリスが銀本位制から金本位制に踏み切るきっかけをつくり出しました。

リンゴの落下を見て、万有引力の法則を思いついたという逸話は有名ですが、その真偽は定かではありません。

名声は川のようなものであって、軽くて膨らんだものを浮かべ、重くてがっしりしたものを沈める

世間の評判
など当てに
ならない

フランシス・ベーコン

人間には思い込みや偏見がつきものです。多くの人から評価され、尊敬されている人物、権威、伝統などを見た時、つい私たちは無批判に受け入れてしまうものです。しかし、それらを鵜呑みにすれば、それ以上の正しい答えを放棄したことになってしまいます。世に蔓延る偏見や常識、自分自身の思い込みなどに惑わされないよう、多面的に物事を観察することが大切です。

KEY WORD

ベーコンの生涯

フランシス・ベーコン（1561-1626年）は、イギリスの哲学者、政治家、法律家です。高級官僚の家に生まれ、12歳でケンブリッジ大学に入学。その後、法律を学び、20代前半で政界に進出。そして30代を迎えた頃、政界から失脚し、後に主要官僚である大法官になるも、60歳の時に汚職の罪に問われて地位を追われます。このようにベーコンは波乱に満ちた人生を送りながらも、帰納法（155ページ）を提唱し、近代科学の礎を築くなど輝かしい功績を収めました。また、代表的著作『ノヴム・オルガヌム』で「知は力なり」という名言を残したことでも知られています。

愚行中の愚行は、
何事のためにせよ、自己の
健康を犠牲にすることである

カラダが資本

アルトゥール・ショーペンハウアー

ドイツの哲学者ショーペンハウアーは「朗らかさ」こそ、幸福に最も寄与する至高のものであると唱えています。その朗らかさを生み出すものは、他でもない「健康」です。健康を顧みずに仕事や学業などの研鑽に励むことは一見素晴らしいことのように思えますが、彼に言わせると間接的に幸福を遠ざける行為になるのです。

KEY WORD

意志と表象

ショーペンハウアー（1788-1860年）は、目に見えない精神的なもので世界は構築されていると考え「世界は私の意志と表象である」と主張しました。ここでいう意志とは、「あれが欲しい。これが食べたい」といった、満たされない状態を満たそうとする意志のこと。一方、表象とはシンプルに言えば、私たちが心に描くものや、目の前に映るものを指します。つまりショーペンハウアーは、私たちが生きる世界は、真に実在しているものではなく、自らの「意志」によって映し出された「表象（イメージ）」であると唱えているのです。

『意志と表象としての世界』（ショーペンハウアー著、2004年、中央公論新社）

しばらく2人で黙っているといい。
その沈黙に
耐えられる関係かどうか

沈黙は
人間関係の
リトマス
試験紙だ

セーレン・キルケゴール

沈黙は相手との関係を試すいい試金石です。家族、友人、恋人……。あなたと関わりのある誰かとの関係を思い浮かべてください。常に話題が尽きることなく、話していられるのであれば、それはきっと良い関係でしょう。また、会話が続かなくとも気まずさがなく、むしろ心地よさを感じられる関係であれば、さらに良い関係といえるでしょう。

KEY WORD

キルケゴールの生涯

キルケゴールは、1813年にデンマークの裕福な商人の家に誕生しました。父の影響で、敬虔なキリスト教徒として育った彼は牧師を目指しており、大学では神学を修めました。しかし、最先端の学問に触れているうちに、自らの信仰に自信が持てなくなり、神学に身が入らなくなっていきます。思い悩んだ結果、彼はその原因を神そのものではなく、それに向き合う自身の中にあると考えるようになります。その後さらに思索を深めていき『あれか―これか』や『死に至る病』といった著作を発表し、実存主義（68ページ）の代表的な哲学者として功績を残しました。

無用の用

"無"の
部分にこそ
注目しよう

老子

一見誰からも必要とされていないものが、むしろ大切な役割を果たしているということがあります。また、まわりから必要とされていないように見える人でも、実は誰にも振り回されず、自分の時間を謳歌している場合もあります。真の価値は表面的なものではなく、見えない意外なところに潜んでいるのかもしれません。

KEY WORD

運命随順
（うんめいずいじゅん）

出来事を全て運命だと受け入れ、存分に味わい楽しむことを指します。無用なことがなければ有用なことが存在し得ないように、どんな出来事にも等しく価値があり、ムダな経験などありません。運命随順の思想は、老子と並び道教の代表的な人物とされる荘子の『大宗師篇（だいそうしへん）』でも語られており、そこでは、「真人（しんじん）」についても触れられています。「真人」とは、修養によって明鏡止水（めいきょうしすい）の境地に至った理想の人物を指し、「真人」になることで心の苦しみや不満がなくなり、真の自由を得られる、と荘子は述べています。

彼れを知り
己れを知らば、
百戦して殆うからず

> 勝負は始まる
> 前に決する

孫子

相手の実力や状況をよく調べて研究し、さらに自分の実力や状況などをよくわきまえていれば、勝負に敗れたり、失敗するリスクを少なくできるということ。自分にとっての大事な戦いを目前に控えている人は、相手のことについて知り尽くしたか、自分の長所と短所は何かと、自問自答してみましょう。

KEY WORD

孫子は春秋戦国時代後期の軍事思想家で、兵家の代表的な人物。戦ばかりの乱世であった時代に、孫子は無益な戦いや長期戦を避けることや、武力を"賢く"使うことなどを唱えました。また、『史記』によると、孫子は宮中の美女たちにも軍事訓練を行った際、統率を乱した責任を問い、隊長に命じられていた君主お気に入りの姫二人を斬り捨ててしまいました。それほど、規律を守ることを徹底していたのです。そんな彼が書いた兵法書『兵法』は、戦のみならず生きるための戦略書として活用できることから、多くの経営者の愛読書となりました。

孫子の生涯

愛は何よりも与えることであり、もらうことではない

与える人に
なろう

エーリッヒ・フロム

愛とは誰かから与えられる受動的なものではなく、自らが与える能動的なものだとフロムは言います。自分の喜び、興味、知識……自分の中に息づいている大切な何かを与えることが愛なのです。また、与えられる人間になるためには、何よりもまず自分が一人の人間として自立している必要があります。自分の存在を認められて初めて、人に愛を与えることができるのでしょう。

KEY WORD

フロムの功績

エーリッヒ・フロム（1900-1980年）は、ドイツのフランクフルトにユダヤ人として生を受けた、精神分析家・社会思想家です。フロムは、ナチスの迫害によって母国を追われながらも、アメリカを拠点に研究を続けました。彼はアドラーの流れをくむ精神分析学派「新フロイト派」の一人で、ジークムント・フロイト（149ページ）を批判的に扱い、カール・マルクス（28ページ）や社会学者のマックス・ウェーバーに大きな影響を受けました。代表作『自由からの逃走』では、当時ヨーロッパを席巻していたファシズムの心理的起源について明らかにしました。

嫌いな人の真実よりも、
好きな人の嘘がいい

全幅の信頼を
預けられる人
はいるか

ハンナ・アーレント

より良い人生を生きるには、多くの決断が必要になります。そして、判断基準には様々な軸が考えられます。論理的な正しさ、リスクの大小、経済的メリットの有無、誰が支持しているか。しかし、物事には絶対的な正解はなく、どんな結果だろうと最終的に責任を負うのは自分自身です。

KEY WORD

アーレントの生涯

ハンナ・アーレントは1906年にドイツで生を受けた哲学者、政治思想家です。ユダヤ人として生まれ、ナチズムの時代を生きた彼女は、ナチスが政権を獲得しユダヤ人迫害が起こる中、反ユダヤ主義の資料収集やドイツから他国へ亡命するユダヤ人を援助する活動に従事しました。多くの著作を残していますが、その中でも『エルサレムのアイヒマン』においては、「悪の陳腐さ」（95ページ）という言葉とともに、ナチスドイツのホロコーストについて深く考察し、大論争を巻き起こしました。

アーレントは在学中、ドイツの哲学者ハイデガーやフッサール（35ページ）など、名だたる哲学者のもとで学びました。

あらゆる方法論は
その限界を持ち、生き残る
「唯一」の規則は
「何でも構わない」なのである

答えは
いつだって
一つじゃない

ポール・ファイヤアーベント

人類は長い歴史の中で、絶対に正しい答えを探し求めてきました。しかし世界は日々刻々と変化しており、正しいと思われる情報もどんどんアップデートされていきます。ファイヤアーベントが提示した「何でも構わない」という規則は、混沌とした世界に生きる私たちに、柔軟に思考して行動する勇気を与えてくれます。

KEY WORD

知のアナーキズム

科学哲学者であるファイヤアーベント（1924-1994年）は「各人が各人の選択で自らの生き方を選ぶことができる」自由社会を目指しており、そういった政治性が思想の根底に流れていました。そのため、科学や政治など、権威によって私たちを単一の解に拘束しようとするものに対して、彼は敢えて「不条理なことを言う」「当時の業界作法から逸脱した記述の仕方をする」「権威に無礼を働く」といった抗戦的態度を示しました。アナーキズムとは、一切の権威を否定し、個人の自由を尊重した社会を目指すという政治思想のことで、一般的には無政府主義と訳されます。

『方法への挑戦―科学的創造と知のアナーキズム』
（ポール・K・ファイヤアーベント著、新曜社、1981年）

われわれはどれほど頑張ったにしても、自分だけの力で身を立て、生きているのではない

その成功は、
誰かに支え
られている

マイケル・サンデル

懸命に努力して得られた成功は、本当にその人の努力"だけ"によるものなのでしょうか。生まれた環境、周囲の支え、偶然。それらがなくとも、その成功はあり得たのでしょうか。成功できない人を「個人の努力が足りず、能力がないせいだ」と切り捨てることにサンデルは警鐘（けいしょう）を鳴らします。"持てる者"の想像力不足が、格差や分断を広げる一つの要因といえるでしょう。

KEY WORD

サンデルの思想

マイケル・サンデル（1953年 -）は、ハーバード大学の教授で、現代のアメリカを代表する哲学者です。とくに共同体主義（コミュニタリアリズム）論者として有名で、アメリカの自由主義（リベラリズム）が、結果として格差や不平等を生んでいることを指摘しました。共同体主義では、個人がただ単に自由を追求するのではなく、あくまでも社会の一員として、共同体の中で皆が自然に持てる価値観を共有します。そして、サンデルは「正義」よりも善を重んじる「共通善」を政治に反映させることこそ、社会全体の幸福に繋がるのだと説いています。

サンデルは野球好きで、ボストン・レッドソックスのファン。
少年野球のコーチを務めていたこともあります。

わたしたちは
魂において
時間を測る

時間は
主観的なもの

アウレリウス・アウグスティヌス

過ぎ去った過去はもはや存在せず、未来はいまだ来ていません。では、それぞれ今存在しない時間を、私たちはどうやって測っているのでしょうか。アウグスティヌスの考えでは、人間は魂の中にある、記憶（過去）、注視（現在）、期待（未来）によって時間を把握しているといいます。つまり時間を長く感じることも、短く感じることも、自らの捉え方次第といえます。

KEY WORD

アウグスティヌスの生涯

アウグスティヌス（354-430年）は、4世紀を生きた古代ローマの司教であり哲学者です。上記の名言が載っている『告白』は400年に完成し、その頃キリスト教が古代ローマの国教となりました。彼は青年期まではマニ教などを信仰したり、キリスト教の価値観からすれば罪深い生活を送っていましたが、母モニカの深い信仰心や、キケロ（110ページ）の『ホルテンシウス』を読んだことで回心し、33歳でキリスト教に回教しています。その後『三位一体論』や『神の国』など多くの書籍を書き、1000年以上キリスト教に大きな影響を与え続けました。

アウグスティヌスは多作で知られており、生涯通じて120冊の書籍、200を超える書簡、さらに大量の説教を書き残しています。

大きな魂ほど、
最大の美徳とともに、
最大の悪徳を生み出す力がある

> 能力の使い道
> を見極めよう

ルネ・デカルト

能力が高い人がその力を悪いことに使うと、とてつもない悪事を生み出す恐れがあります。例えば、優れた頭脳の持ち主が、恐ろしい兵器を開発し、それが世界を破滅に導く可能性もゼロではないでしょう。したがって私たちは、能力の強化だけに偏らず、その使い道や方向性を正しく見極められる道徳心や、倫理観なども育んでいく必要があるのです。

KEY WORD

大陸合理論

フランスのデカルトにはじまり、ドイツ、フランスなどの大陸諸国で発達した哲学。経験よりも生まれつきの理性（生得観念）を重視することが主な特徴です。例えば「リンゴ一つに、もう一つのリンゴを加えると、二つのリンゴになる」ということは、幼児でも理解することが可能です。大陸合理論では「これを経験によって学んだ」と捉えるのではなく、「1＋1＝2であるという観念が、そもそも身についていた」と考えます。この生得観念という考え方の源流は、ギリシャの哲学者プラトンが唱えたイデア論の想起説（97ページ）にまで遡ります。

現在でもよく使われているX軸とY軸が交わる座標は、デカルトが生み出しました。

最善の解決策とは
常に最も単純な解決策である

物事は
いつだって
シンプルだ

ウィリアム・オッカム

「どうすればいいのか……」と悩んでいる時、思わぬ解決策を見落としていたことに気づいた経験が、誰しもあるのではないでしょうか。人は物事を難しく考えてしまいがちですが、意外にも答えはシンプルだったりするものです。苦しい時や辛い時こそ、「睡眠時間を充分にとる」「適度に運動をする」など、当たり前のことに取り組む必要があるのかもしれません。

KEY WORD

オッカムの剃刀

14世紀のヨーロッパで起こった普遍論争。そこで、オッカムは「普遍は存在しない」と唱え、「人間」といった言葉も概念も元々は自然界に存在せず、あくまで人間がつくった一つの括りであると主張します。つまり個別（山田さん、田中さん）は存在しても、普遍（人間）は存在しないと考えたのです。そして彼は、自然界に存在しない物事に対して哲学する必要はないとし、人間がつくった言葉や概念をバッサリと切り捨てました。このように不必要なものを削ぎ落す考え方は、「オッカムの剃刀」と呼ばれ、合理的に物事を考える近代哲学の端緒となります。

オッカムは圧倒的な頭脳を持っていたことから「不敗博士」と呼ばれました。

他人の過ちを指摘する前に、自分の欠点に気づくことです

人に助言する
前に自分を
省みよう

仏陀

人は他人の欠点には気づきやすいですが、自分の欠点にはなかなか気づけないものです。この特性を理解せずに、目に付いた人の欠点全てを指摘していると、自分のことは棚にあげて他人にアドバイスばかりする人になってしまいます。他人の欠点を指摘したくなった場合には、助言する前にまず自分を顧みて、自己の成長のための気づきにしましょう。

KEY WORD

仏陀の生涯

仏教の開祖である仏陀は、本来「目覚めた人」を指す言葉であり、元来釈迦だけを指す固有名詞ではありませんでしたが、釈迦の死後、仏教を開いた釈迦ただ一人が「仏陀」とされました。仏陀はもともと王族として優雅に暮らしていましたが、人生の無常さや苦しみを徐々に感じるようになり、人生の真実を追求しようと志します。そして29歳の時に、深夜に王城を抜け出して出家します。35歳の時には、ガヤー地区の菩提樹の下で座禅を組み、瞑想に入ることで悟りに達し、仏陀となりました。

仏陀は生まれてすぐに、右手を上に、左手を下に向けて「天上天下唯我独尊」と言ったと伝えられています。

鳥は飛び、魚は水に沈み、
その性質はおのずから異なる

みんな違って、
みんないい

空海

鳥は羽を使って空を飛び、魚は水中で泳ぐように、人間も一人ひとりが異なる個性を持っています。他者と異なる特徴を恥じるのではなく、それを"活かすべき個性"として受け入れれば、もっと私たちは生きやすくなるはずです。また他者との違いを否定し合うのではなく、それを認め合うようになれば、もっと世界は平和になるはずです。

KEY WORD

真言宗

真言宗は13ある仏教宗派の一つで、9世紀初めに留学していた空海が帰国し、真言密教を日本へ広めたものです。教えの基本は「即身成仏」で、仏と同じように行動し、心を清く保つことで、没後すぐに仏になれるといいます。そのためには、修行や祈祷が重視されており「自力本願」で仏に近づけると考えます。修行は「三密」と呼ばれており、それぞれ「身密：手で印を結ぶ」「口密：真言を唱える」「意密：心の中で念仏を唱える」というもの。総本山は18あり、高野山金剛峰寺や仁和寺などが有名です。

空海が中国に留学した際、恵果和尚に出会い入門し、
1000人以上の弟子の中から後継者に選ばれました。

「『アナーキズム』には、単なるレトリック以上のものがあると確信している。…私は、科学的な成果を巡る論争に、『はっきりさせよう』というスローガンが介入してくると、我慢できなくなるのだった。この『はっきりさせよう』というのは、結局のところ、問題をまやかし論理学の形に翻訳することだったのである」(当書P203)。ポール・ファイヤアーベントは、大きな変革を迎えた20世紀の科学に対し、一石を投じた科学哲学者です。「知のアナーキズム」(138ページ)、「ダダイスト」と自らを称し、時代の潮流に逆らうような過激思想を実践したファイヤアーベント。彼は、科学哲学の大家カール・ポパーに師事していたにもかかわらず、科学誌『ネイチャー』に「科学の敵ナンバーワン」という、ありがたくない異名をつけられてしまいます。この本は、そんな彼の破天荒な生涯を、彼自身の視点から振り返って記されたものです。経歴だけ見ると、社会に対しての反抗的な態度ばかりが映るかもしれませんが、決して彼は世界の無秩序や混沌を望んだわけでも、科学による文明の進歩を否定したわけでもありません。むしろ、一見反社会的に見える言動の奥で、彼が抱いていたのは知への深い愛と、人の多様性を認める寛容さでした。不安定な現代社会の中で、「自由」「多様性」「知」のあり方を考えさせられる一冊と言えます。

第6章　新たな気づきを得る言葉

『哲学、女、唄、そして…
ファイヤアーベント自伝ー』
ポール・ファイヤアーベント著
（産業図書）

心を整える言葉

第 **7** 章

ヴィクトール・エミール・フランクル　復讐す

「一味とか株がかな人生とかどんな人でもどんな意味ありますという思いうありますヴィクトール・エミール・フランクル　復讐す

言葉を大事にするということが、自分を大事にするということなんだ　池田晶子

ある彼れを知り己れを知らば百戦して殆うからず　孫子

あなたが出会う最悪な敵は、いつもあなた自身であるだろう

"自分"を
超えていけ。

フリードリヒ・ヴィルヘルム・ニーチェ

自分が属している組織で立身出世を目指したり、財を成そうとしたり、何らかのことを達成しようとする時、あなたの目の前には様々な障害や困難が立ちはだかることでしょう。しかし、その中でも最悪の敵は"あなた自身"です。内側から聞こえてくる自己否定的な言葉に耳を傾けることなく、あなたはあなたの挑戦を続けましょう。

KEY WORD

ル
サ
ン
チ
マ
ン

ニーチェは、不安定な世の中でも強く生きるために強者になる事を推奨しました。しかし強者は、常に弱者から憎悪、非難、嫉妬といった悪感情（ルサンチマン）を向けられるといいます。また彼は、キリスト教信仰の起源も、当時覇権を握っていたローマ人へのルサンチマンにあると指摘しました。つまり、当時豊かで力を持っていたローマ人への嫉妬と、自分たちの貧しさや弱さを正当化したいという思いがキリスト教をつくり上げたという主張です。辛辣ではありますが、そこには人間の弱き心に「強くあれ」という情熱的なメッセージが込められているのです。

『ツァラトゥストラはこう言った（上）（下）』（ニーチェ著、岩波書店、1967年）

他人に対して苛立ちを
感じた時は自分について
知るいい機会である

相手の欠点は
自分の欠点

カ ー ル ・ グ ス タ フ ・ ユ ン グ

他人に対して負の感情を抱いたなら、それは自分の中にある好ましくない部分を相手に投影しているということです。つまり、今まで気づかなかった自分の中の欠点を見ているため、不愉快になるのかもしれません。そんな時こそ、相手を責めるのではなく、本当の自分の姿を見つめるようにしたいものです。

KEY WORD

カール・グスタフ・ユング（1875-1961年）は、スイスの精神科医・心理学者です。彼が29歳の時、患者の一人だったザビーナという女性を通して、19歳年上のフロイトと出会います。初対面で13時間も議論を交わすほど意気投合し、その後も師弟として親交を深めますが、次第に二人の考えは異なっていき、フロイト派とユング派として別々の道を歩むことになります。フロイト派は人の意識を「意識・前意識・無意識（65ページ）」に分けて考え、ユング派では、さらに無意識を「個人的無意識・集合的無意識（40ページ）」に分けて考察します。

第7章　心を整える言葉

例えば、音楽は憂鬱の人には善く、悲傷の人には悪しく、聾者には善くも悪しくもない

物事に善悪
なんてない

バールーフ・デ・スピノザ

明るい音楽を想像して下さい。落ち込んでいる人なら、きっとそれを聞いて気分が良くなることでしょう。しかし、大切な人を亡くして悲しんでいる人が聞いたら、悲しみに浸るうえで、音楽は邪魔になり、また、聾者（耳が不自由な人）であれば、音楽は聞こえないものです。このように、物事それ自体には善いものや悪いものは存在せず、全ては組み合わせ次第なのです。

―――――――― **KEY WORD** ――――――――

スピノザの生涯

スピノザ（1632-1677年）は、心身平行論（85ページ）や汎神論で知られる17世紀のオランダの哲学者です。1632年、アムステルダムのユダヤ人居住区に生まれた彼は、1677年にハーグでわずか44歳の生涯を終えるまで、生前には2冊の本しか出版しませんでした。今回の名言は、著作『エチカ』の中の一節ですが、この本は彼の死後に友人たちの手で、遺稿集として刊行されたものになります。また、彼と同時代の哲学者としては、デカルト（90ページ）、ホッブズ（47ページ）、ロック（72ページ）などが挙げられます。

『エチカ』とは倫理学という意味です。

友人の自由な会話は、どのような慰(なぐさ)めよりも私を喜ばせる

時にはバカ話
をしよう

デイヴィッド・ヒューム

人は嫌なことがあると、それを愚痴(ぐち)として誰かに吐き出し、傷ついた心を慰めたいという気分に駆られるものです。しかし不平不満をぶつけるのではなく、時には友人と他愛もない会話に花を咲かせてみましょう。大いに笑い合えば、きっとこれ以上ない気分転換になるはずです。

KEY WORD

複合概念

ロック(72ページ)やヒュームといったイギリス経験論(163ページ)の立場をとる哲学者たちは「人間の知識は全て経験から得たもの」という主張を展開しました。ヒュームは、現実には存在しないことも、全て「経験したものの組み合わせ」と考え、それを「複合概念」と呼びました。さらに彼は、人間は経験の範囲内でしか想像力を働かせられないとし、「神」の概念すらも複合概念の一つと主張します。実際に神の姿が描かれる時、だいたいヒトや動物を模(も)してつくられますが、それは人間が自分たちの経験の範囲内でしか想像ができないからなのかもしれません。

ある日は
他のすべての日に
等しい

最悪な一日も
たかが一日

ヘラクレイトス

失敗が続くと「なんて最悪な一日なんだ……」と深く落ち込むことがあるかもしれません。しかし、一日は一日。どんなに最悪な日も、これまで過ごした一日や、これから過ごす一日と特に変わりません。人生全体で考えれば、一日とはほんの僅かなもの。時間が経てば、"最悪な一日"もいずれ、他と同じような"何でもない一日"になることでしょう。

KEY WORD

ヘラクレイトスの生涯

ヘラクレイトス（前540年頃-前480年頃）は古代ギリシアの哲学者で、イオニア地方（現在のトルコ西部）の町エフェソスの王家に生まれました。「すべてのものは変化していく」とした万物流転説の提唱者として有名ですが、主著『自然について』は現存しておらず、彼の主張はプラトンや断片集を通じて伝えられています。また、人間嫌いであり、孤高の生涯を送ったことから「泣く哲学者」「闇の人」と呼ばれました。同時代のホメロス、ピタゴラス（51ページ）、クセノパネスといった詩人や哲学者を強く批判したことでも知られています。

所有の少ない人ではなく、渇望の多い人が、貧しいのだ

> ないものねだり
> をやめよう

ルキウス・アンナエウス・セネカ

人間には「自分が持っているもの以上を求める傾向がある」とセネカは言います。しかし欲望には際限がないため、どれだけ求めても、心が満たされることはありません。大切なことは、"足るを知る"こと。自分に無いものを探すのではなく、既に在るものに目を向け丁寧に扱うようにすれば、心の飢えは落ち着くでしょう。ストア派（106ページ）のセネカらしい言葉です。

KEY WORD

セネカの生涯

哲学者セネカ（紀元前1年頃-65年）は、第五代ローマ皇帝ネロを支えた政治家でもありました。しかし、ネロの治世が歪むにつれ、第一線から身を引き、晩年は隠棲生活を送りました（その後、政界に復帰）。セネカはその生涯の中で、知人に送った手紙を含む膨大な随筆を記し、力強い人生哲学を残しました。それは二千年以上経った今でも色褪せることなく、多くの現代人の英気を養っています。ストレス社会の中で苦しんでいる人は、セネカの『生の短さについて』『怒りについて』を参考にしてみると、人生のヒントが見つかるでしょう。

自負、嫉妬、貪欲は、
人の心に火を放てる
三の火花なり

> 負の感情の
> 危うさ

ダンテ・アリギェーリ

自負、嫉妬、貪欲は、人を動かす火花のようなエネルギーにもなります。しかしそのような負の感情は、時に心の中で激しく燃え盛り、いつか自らを滅ぼしてしまう業火となってしまうでしょう。ダンテは、傲慢、嫉妬、貪欲などは罪であり、それらの罪を清めることで天国の扉が開くと考えました。

KEY WORD

ルネサンス

14世紀ごろにイタリアで活発になった、古代ギリシャ・ローマ文化を復活させようとする文化運動のことです。一神教であるキリスト教を国教としたローマ帝国により、多神教であるギリシャ・ローマ時代の文献や建物は破壊され、ヨーロッパの中世は「暗黒時代」と呼ばれていました。その後、フィレンツェやナポリ、ローマなどでルネサンス運動は大きくなり、絵画、音楽、建築物など多様な芸術が花開くことになりました。中でも、レオナルド・ダ・ヴィンチ、ミケランジェロ、ラファエロらが有名です。

ダンテ著の『神曲』によると、地獄の最下層にはイエス（32ページ）を裏切ったユダがいるとされています。

運命の女神は、待つことを知る者に多くを与えるが、急ぐ者にはそれを売りつける

大きな飛躍には助走がいる

フランシス・ベーコン

世の中には、実力よりも評判が先行してしまうことがありますが、多くの場合、それは長くは続きません。したがって、焦って注目を浴びようとするのではなく、地に足をつけ、本物の実力をつける努力をしましょう。それは孤独であり、地味であり、時間がかかる苦しい道のりです。しかし、それでも歩み続ける者に、運命の女神は最大の報酬を与えるのです。

KEY WORD

帰納法

イギリスの哲学者ベーコンが確立した推論・思考方法の一つで、様々な事例を集め、それを元に、普遍的な原理や結論を導く方法を指します。特徴としては、具体的な複数の事実から「共通項」を見つけ出し、結論を導くことが挙げられます。そのため、より多くの事実を集めることができれば、結論の精度が高まるとされ、イギリス経験論（163ページ）の立場をとったベーコンは、実験や観察に基づいた事実を重視しました。一方、既知の法則やルールなどを前提にし、論理を積み重ねて結論を導いていく方法を演繹法（54ページ）といいます。

遠くをごらんなさい〜
眼がくつろぎを得る時、
思考は自由となり、歩調は
いちだんと落ち着いてくる

> 広い視野を
> 持とう

アラン

近くを見過ぎれば目は緊張し、心も体も硬くなってしまいます。憂鬱な気分になると、人は自分の目の前の問題と、自分自身に集中しすぎるものです。そのような時は、まず深呼吸をし、広々とした空間や大空に目を向けてみてください。そうすれば体の緊張は緩み、自然と精神も安らいでくるでしょう。

KEY WORD

アランの生涯

「アラン」ことエミール・オーギュスト・シャルティエ（1868-1951年）は、フランスの哲学者。高校で哲学の教師をしながら、約八年間毎週新聞にコラムを寄稿し、文名を博しました。「アラン」とは、その時の筆名です。第一次世界大戦では、自ら志願し一兵卒として従軍。戦場でも筆を執り続けました。彼はアリストテレス（19ページ）やデカルト（90ページ）らの影響を受けた、合理主義的なモラリストとしても知られます。過去の哲学者たちの思想と独自の思想を組み合わせた講義はとても人気で、教え子から多くの文化人を輩出しました。

アランの書いた文章は短文形式で、プロポと呼ばれ、世界、人間、政治、経済、宗教、文化など幅広い分野を取り上げました。

語りえぬものには、
沈黙せねばならない

言葉で全ては
語れない

ルートヴィヒ・ウィトゲンシュタイン

ウィトゲンシュタインは、「言葉があれば事象はあり、事象があれば言葉はある」という"写像理論"を展開しました。それを踏まえると、「愛」「幸福」などは言葉こそあれ、現実世界の事象としては確立されていません。よって、愛や幸福を言葉で語ろうとしても、なかなか語りきることができないのは、そもそも「事象」として現実世界に存在しないからなのです。

KEY WORD

写像理論

ウィトゲンシュタインは、前期と後期で哲学思想が大きく異なってきます。前期の代表的な考え方として挙げられるのが「写像理論」です。これは、現実世界の「事実」と、わたしたちが発する「言葉」は鏡のように対応している、という考え方です。「事実」は「言葉」で表現されている。つまり、「言葉」を解析すれば、世界の全てを分析できるのではないか、と彼は考えたのです。反対に、「事実」が存在しないもの、人によって定義が違うものについて語るべきではないとしました。しかし、この考え方は彼自身の後期哲学によって否定されることとなります。

復讐するは我にあり

善をもって悪に勝ちなさい

イエス・キリスト

この言葉は、我（私）には復讐する権利があると解されやすいのですが、実はそうではありません。ここでの我とは主（神）のこと。すなわち「復讐や報復は神が行うものであり、人は復讐などをせず、全ての人の前で善を行うべきである」ということを意味しているのです。この教えは、互いに尊敬の心をもって関わり合うという、キリスト教的生活の規範でもあります。

KEY WORD

キリスト教

キリスト教は、今から2000年ほど前にイスラエル近辺で誕生した宗教です。この辺りは、ユダヤ教徒が多くいた地域でした。ユダヤ教の聖典『旧約聖書』の中に「救世主」が誕生するという一文があり、この救世主として誕生したのがイエス・キリストとされています。そして、そのキリストの言葉や考え方を弟子たちがまとめたものが『新約聖書』です。現在のキリスト教は大きくカトリック、プロテスタント、東方正教会の三つに分かれており、信者数は24億人（世界総人口の32%）と推定されている「世界最大の宗教」です。

思い出に生きることは
そのまま悲しみに生きることを
意味する

思い出に
浸りすぎては
いけない

神谷美恵子

生きがいを失って悲嘆のどん底にいる人にとって、未来は全く閉ざされているように感じます。そうなれば、全ては過去によって、これからの人生が決定されると思い込み、過去のみを見つめて生きてしまいます。時に過去を振り返るのは大事ですが、思い出に浸りすぎることは避けた方がいいかもしれません。

KEY WORD

生きがい

「生きがい」とは、生きていくために必要なものです。生きがいには三つあり、それは「未来に希望を持つこと」「誰かに必要とされている使命感」「そして純粋にやりたいことをやるという"いきいきとした喜び"」だと、神谷美恵子は説きました。一方、生きがいとは損なわれやすく、失えば強いショックに襲われるものです。しかし、その刺激によって心の世界に奥行きが生まれ、一歩遠のいたところから新しい生きがいを見つけられるといいます。生きがいには、どんな辛い過去も"今を生きるための燃料"に変える力があるのです。

しあわせは
目標ではなく、
結果にすぎない

しあわせは
向こうから
やってくる

ヴィクトール・エミール・フランクル

幸せを人生の目標として設定すると、人はあらゆる物事を損得で考えたり、他者との比較に意識が向いたりして、余計に心が苦しくなることがあります。そこでフランクルは「生きることは責務である」と主張しました。つまり、生きるという責務を果たそうと懸命に努力することで喜びの感情が自然と湧きあがり、その結果として幸福がもたらされると考えたのです。

KEY WORD

フ
ラ
ン
ク
ル
の
活
躍

フランクル（1905-1997年）は、オーストリアの脳外科医・精神科医であり、心理学者です。また、ロゴセラピー（116ページ）の創始者としても知られています。主著『それでも人生にイエスと言う』は、ナチスの収容所から生還したフランクルが行った講演内容をまとめたもので、苦悩を乗り越え生きる意味を見出す術を教えてくれる名著です。フランクルは真面目な学者だったわけではなく、笑いの効用も理解し、収容所にいる間もユーモアを忘れず、晩年においても活力に満ちた明るい人柄であったといわれています。

涙こそが目の本質であり、視覚ではない

ジャック・デリダ

「泣く」ことこそ
人間らしさ

古くから西洋哲学では「視覚的に『見る』ことが真理を『知る』ことである」とされてきました。しかしこれは、盲目の人に対しては差別的とも捉えられる考え方です。そこでデリダは「人間だけが、目で見ること、さらに知ることを超えて、涙を流すことができる」と説き、そこに人間の本質を見出したのです。

KEY WORD

デリダの生涯

デリダ（1930-2004年）は、アルジェリア出身のフランス人で、ポスト構造主義*1の代表的な哲学者。フランスへの移住には、同じアルジェリア出身であるカミュ（34ページ）の影響があったとされています。移住直後は周囲に馴染めず、その頃から哲学書に親しむようになり、ハーバード大学への留学や兵役を経て、大学などで教鞭を取りました。デリダといえば、二項対立の枠組みからの脱出「脱構築」を提唱したことで有名です。この思想は哲学のみならず、ファッション、建築など幅広い分野に影響を及ぼすこととなります。

あまり利口でない人たちは、一般に自分の及びえない事柄についてはなんでもけなす

否定する前に
まず
理解しよう

フ ラ ン ソ ワ ・ ド ・ ラ ・ ロ シ ュ フ コ ー

自分が理解できないものやどうしても手が届かないものを見た時、「どうせつまらない」「大した価値がない」と否定的な態度を示すことは、誰にとっても容易なことです。早急に良し悪しを決めつけるのではなく、客観的に対象を観察し、順序立てた思考によって自分なりの結論を出す。それが本当に賢い人の態度であり、まわりからの批判を気にしすぎる必要はないのです。

KEY WORD

ロシュフコーの生涯

ロシュフコーの生涯は、大きく二つに分けることができます。武将となるべく教育を受け、戦いに明け暮れた前半生は、フロンドの乱で完敗したことにより幕を閉じます。後半生では青春を語る『回顧録』に加えて、『箴言集』を執筆しました。彼はストア派（31ページ）で理想とされている「理性と意志によって自らを厳しく律する人間」を偽りと考え、セネカの考え方に懐疑的でした。逆に、セネカの禁欲主義の対極に立つエピクロス（128ページ）の価値を認め、褒め称えています。

　　『箴言集』には、フロンドの乱などで味わった苦難が反映されているともいわれています。

金銭は
肥料のようなものであって、
ばら蒔かなければ
役には立たない

宝の
持ち腐れでは
もったいない

フランシス・ベーコン

お金があっても、それを貯めているだけでは意味がありません。また有効に使われなければ、ムダになってしまいます。金銭は正しく使われてこそ、真の価値を生むのです。また単にモノの消費だけではなく、時には貴重な体験や試みなどにも投資することも大切です。そこから得た知見は、きっと人や社会の幸福に繋がっていくでしょう。手持ちのお金が減ることに臆病になりすぎてはいけないのです。

KEY WORD

イギリス経験論

「イギリス経験論」とは、人間の一切の知識や観念は、全て五感を通じた経験の積み重ねで形成されており、生まれ持った知識や観念は存在しないという考え方。代表的なイギリス経験論者には、ベーコン、ロック（72ページ）、バークリー、ヒューム（151ページ）などで、彼らは主に帰納法で正しい知識を得ようと試みました。一方、これに対立する考え方として「大陸合理論」があります。主な支持者はデカルトやスピノザで、人には生まれつきの知識や観念があるとし、彼らは帰納法ではなく、演繹法によって正しい知識を得ようとしました。

忙中に閑、
閑中に忙の心を

忙しさも
ほどほどに

洪自誠

「忙しい時には心にゆとり持ち、暇な時にはテキパキとした行動を取ろう」という言葉。日々を送る中で仕事に忙殺されてしまったり、逆に何もすることも無くダラダラと過ごしてしまったりする事もあるでしょう。目の前の状況に流されて行動するのではなく、自らの人生で何をすべきか考え、日々少しずつ進んでいく事が、より良い人生に繋がるのではないでしょうか。

KEY WORD

『菜根譚』の人気

『菜根譚』は、洪自誠による処世術書です。儒教の考え方をベースにしてより良く生きるためのポイントが300以上に記されており、どれも簡潔で読みやすく構成されています。この本が書かれた明の末期は、飢饉・反乱などで世の中が不安定だった時期でした。このような時代に著された本書には、予測不可能といわれる現代を生きるために通じるものが多く、松下幸之助、田中角栄、吉川英治、野村克也も愛読したことで知られています。現在もなお、処世訓の最高傑作の一つとして経営者や文化人を中心に高い人気を誇る一冊です。

人知らずして慍（うら）みず。亦（また）君子ならずや

人に惑わされるな。
自分の道を貫け

孔子

「自らの価値を他人に認めてもらう事に躍起になっていけない」という意味です。時に、自分の努力や能力を認めてくれず、悔しい思いをすることもあるでしょう。しかし、それでも怒りや憎しみといった、負の感情によって心を支配されてはなりません。私たちはただ、他人の評価を気にすることなく、自分が信じる道をひたすらに突き進めばよいのです。

KEY WORD

孔子の生涯

上記の名言は、孔子の『論語』の第一句目として登場し、孔子の生きざまを如実に表す句です。春秋戦国時代に生きた孔子は、諸国の君主に対して、人徳を以て国を治めるべきといった主張をしてきました。しかし、当時の中国は厳しい乱世。それゆえ各国の君主は、徳を持って政治を行うことを後回しにし、徴税や軍備の増強などを優先せざるを得ず、孔子の主張を退けました。それでも、怒りに心を動かされること無く、孔子は諸国歴訪をやめませんでした。加えて、弟子に対して熱心な教育を行うなど、彼は人生を通して自分の信念を貫き続けたのです。

孔子は非常に大柄で、身長が2mほどあったそうです。　‖ **165** ‖

今すぐ答えを捜さないでください。今あなたは、問いを生きてください

正解を
求めすぎて
ないか？

ライナー・マリア・リルケ

答えを急いで出してしまうことは、無限にある可能性を限定してしまうことです。挑戦とは、あくまで「こうしてみてはどうか？」という仮説を実践することであり、それが実証されなかったとしても、何の問題もありません。正しい生き方という幻想にとらわれず、試行錯誤しながら前に進んでいけばよいのです。

KEY WORD

『若き詩人への手紙』

この名言は『若き詩人への手紙』からの引用したものです。また本書は、詩人を目指す青年に送られたリルケの手紙をまとめた書簡集になります。リルケは彼と面識がなかったにもかかわらず、相手の繊細な心に寄り添い、約五年間、不安と孤独の中にいる若者を励まし続けました。「創作している人間に、貧しさなどありません。貧しくてつまらない場所もありません〜あなたの孤独は広がりを増し、次第に明るい住家となって、他人の騒音など寄せ付けなくなるでしょう」…。いま孤独や寂しさを感じている人にこそ読んでほしい名著です。

『論語』は、孔子やその弟子たちの言行録として知られる、古くから多くの日本人に親しまれてきた中国古典の一つです。『論語』では、幅広い話題が扱われており、孔子たちの言葉は短い句として収録されているため、『論語』から何を学ぶかは各々の想像力や経験に左右されるでしょう。そんな『論語』をここで解説していきたいと思います。まず、当書には「過ぎたるは猶お及ばざるがごとし」という句が収録されていますが、これは「やり過ぎてもいけないし、何もしないのこともまたいけない」という意味として受け取ることができます。ギリシアの哲学者のように、孔子もまたバランス感覚、中庸（105ページ）を持った生き方を重要視していたことが伝わります。加えて、「己れの欲せざる所は人に施すことなかれ」という句もあり、この句からは「自分がされて嫌なことは、人にしてはいけない」という意味や「徳を持って正しく生きよ」という孔子の思いを読み取ることができます。このような教えは「徳治主義」（法治主義に対して、道徳により民を治める政治をめざす考え方）と言い、儒家の基本的な思想にあたるものです。これら二句から、『論語』は、バランス感覚と徳を持って生きることの大切さを示している一冊ともいえます。この他にも、『論語』には様々な句があるため、いまの自分に深く刺さる言葉や座右の銘となる一句が、きっと見つかることでしょう。

『論語』
金谷治訳注
（岩波書店）

主な参考文献

（※順不同）

- 『ツァラトゥストラはこう言った（上）』（ニーチェ著、岩波書店、1967年）
- 『ツァラトゥストラはこう言った（下）』（ニーチェ著、岩波書店、1970年）
- 『自省録』（マルクス・アウレーリウス著、岩波書店、2007年）
- 『ニコマコス倫理学（上）』（アリストテレス著、光文社、2015年）
- 『ニコマコス倫理学（下）』（アリストテレス著、光文社、2016年）
- 『悲しき熱帯〈1〉〈2〉』（レヴィ＝ストロース著、中央公論新社、2001年）
- 『生きがいについて』（神谷美恵子著、みすず書房、2004年）
- 『座右版 菜根譚』（久須本文雄著、講談社、1994年）
- 『現代語訳 論語と算盤』（渋沢栄一著、筑摩書房、2006年）
- 『現代語訳学問のすすめ』（福澤諭吉著、筑摩書房、2009年）
- 『それでも人生にイエスと言う』（V.E.フランクル著、春秋社、1993年）
- 『新版 ハマトンの知的生活』（フィリップ・ギルバート・ハマトン著、三笠書房、2022年）
- 『人生の意味の心理学』（アルフレッド・アドラー著、アルテ、2021年）
- 『野生の思考』（クロード・レヴィ＝ストロース著、みすず書房、1976年）
- 『ルキリウスへの手紙／モラル通信』（セネカ著、近代文芸社、2005年）
- 『オルテガ 大衆の反逆〜真のリベラルを取り戻せ』（中島岳志著、NHK出版、2022年）
- 『若き詩人への手紙・若き女性への手紙』（リルケ著、新潮社、1953年）
- 『学問の進歩』（ベーコン著、岩波書店、1974年）
- 『学校と社会』（デューイ著、岩波文庫、1957年）
- 『哲学の改造』（ジョン・デューイ著、岩波文庫、1968年）
- 『幸福論1』（ヒルティ著、岩波書店、1961年）
- 『実存主義とは何か』（J・P・サルトル著、人文書院、1996年）
- 『夜と霧 新版』（ヴィクトール・E・フランクル著、みすず書房、2002年）
- 『ノヴム・オルガヌム』（フランシス・ベーコン著、岩波書店、1978年）
- 『世界最高の人生哲学 老子』（守屋洋著、SBクリエイティブ、2016年）
- 『生の短さについて』（セネカ著、岩波書店、2010年）
- 『社会心理学辞典』（日本社会心理学会編、丸善株式会社、2009年）
- 『老子』（小川環樹訳、中央公論新社、1997年）
- 『倫理用語集 第2版』（小寺聡編、山川出版社、2019年）
- 『パンセ』（パスカル著、岩波書店、2015年）
- 『哲学的思惟の小さな学校』（K・ヤスパース著、昭和堂、2020年）
- 『考えるヒント2』（小林秀雄著、文藝春秋、2007年）
- 『エピクロス——教説と手紙』（エピクロス著、岩波書店、1959年）

- ●『ローマの哲人 セネカの言葉』（中野幸次著、岩波書店、2003年）
- ●『ソクラテスの弁明・クリトン』（プラトン著、岩波書店、1964年）
- ●『哲学用語図鑑』（田中正人著、プレジデント社、2015年）
- ●『続・哲学用語図鑑』（田中正人著、プレジデント社、2017年）
- ●『エミール（上）（中）（下）』（ルソー著、岩波書店、1962年）
- ●『方法序説』（デカルト著、岩波書店、1997年）
- ●『［新訳］ガリア戦記・上〈普及版〉』（ユリウス・カエサル著、PHP研究所、2013年）
- ●『スマイルズの世界的名著自助論』（サミュエル・スマイルズ著、三笠書房、2002年）
- ●『歴史哲学講義（上）』（ヘーゲル著、岩波書店、1994年）
- ●『意志と表象としての世界〈1〉〈2〉〈3〉』（ショーペンハウアー著、中央公論新社、2004年）
- ●『学校と社会』（デューイ著、岩波書店、1957年）
- ●『哲学の改造』（ジョン・デューウィ著、岩波書店、1968年）
- ●『人間的、あまりに人間的I（ニーチェ全集5）』（フリードリッヒ・ニーチェ著、筑摩書房、1994年）
- ●『新版 精神分析入門 上』（フロイト著、KADOKAWA、2012年）
- ●『経済学批判』（マルクス著、岩波書店、1956年）
- ●『愛するということ』（エーリッヒ・フロム著、紀伊國屋書店、2020年）
- ●『学問の進歩』（ベーコン著、岩波書店、1974年）
- ●『エチカ──倫理学（上）（下）』（スピノザ著、岩波書店、1951年）
- ●『幸福論』（ラッセル著、岩波書店、1991年）
- ●『世界の名著10 諸子百家』（金谷治責任編集、中央公論社、1983年）
- ●『ヒポクラテス全集』（今裕訳編、岩波書店、1931年）
- ●『聖書 新改訳』（新日本聖書刊行会訳、いのちのことば社、1970年）
- ●『怒りについて』（セネカ著、岩波書店、2008年）
- ●『老年について』（キケロー著、岩波書店、2004年）
- ●『史上最強の哲学入門』（飲茶著、河出書房新社、2015年）
- ●『幸福論』（アラン著、岩波書店、1998年）
- ●『論理哲学論考』（ヴィトゲンシュタイン著、岩波書店、2003年）
- ●『新共同訳新約聖書詩編つき』（共同訳聖書実行委員会著、日本聖書協会、2014年）
- ●『新装版 森の生活』（ヘンリー・D・ソロー著、宝島社、2005年）
- ●『幸福論』（ヒルティ著、KADOKAWA、2017年）
- ●『風土：人間的思考』（和辻哲郎著、岩波書店、1979年）
- ●『自己信頼［新訳］』（ラルフ・ウォルドー・エマソン著、海と月社、2009年）
- ●『老子』（老子著、岩波書店、2008年）
- ●『論語』（金谷治訳注、岩波書店、1999年）

おわりに

　本書は、日本最大級のオンライン読書コミュニティ Book Community Liber と、きずな出版とのコラボ企画「Liber Book Project」によって誕生しました。

　2022年5月にスタートしたこの企画ですが、コミュニティのメンバーさんから好きな哲学者や思想家の名言を募ったり、プロモーションに協力してもらったりしながら、発売まで毎日忙しく駆け抜けてきました。

　大勢の人を巻き込んで一冊の本をつくる。この人生初となる試みは最初から最後までイレギュラーの連続であり、想像以上に骨の折れる挑戦でした。

　しかしその甲斐あって、量・質ともに私一人の力では決して及ばないレベルの本に仕上げることができました。

　また制作過程において気が詰まりそうになった時、ここに記されている偉人たちの言葉、仲間たちの言葉に、どれだけ励まされ、どれだけ救われたかわかりません。

　この本が今を生きる人の心を少しでも明るく照らすものとなれば望外の幸せです。

　Book Community Liberのメンバーさん、きずな出版の川本真生さんには、多大なるご助力を賜りました。この場をお借りして御礼申し上げます。

アバタロー

Special Thanks（Book Community Liberの皆様）

（※順不同）

◆ 企画・執筆協力

菅星朗（すがほしろう）、小林聡史、田中けんと、板津有佳（ゆか）、渡邊俊太郎（よし）、中村聖子（きょん）、矼佳生、木田裕己（だっち）、しえる、若生朋美（とも）、山本賜恩（スニフ）、佐藤健翔（Naminori）、長尾諒、ピース、青い人、きりぃー、大山隆景（TAR）、福満仁志、シトロン、成瀬隆典、松原圭（けいちゃん）、高田惠理（Eriy,T）、せい、鈴木章子、deep、中野利一（リーチ）、タナベユウコ（なびぃ）、上坂智美、郡山薫平（ペー）、徳保七緒子（だりあ）、AIMUTA MAKI、大澤純子、森園王、保坂早苗（イデア）、ピッピさん、torajun、なか、髙頭美緒、中村珠久（MIKU）、小林直人（koba）、永井聖矢、白鯔、藤村真琴（まこっちゃん）、zenzenyuzen、竹本龍介、中原瑞帆、薫彩子（Kayoko）、相牟田泰章、土志田拓郎、横山未来、ちゃむ、カエサン、トマ、ジェイ、リル、がっきー、りょーま、nana、しおやん、ケン、はっちゃん、フライハイト、よっしー、ことりす、大中耀洋、止まれのキヨ、ちゅーたろう、今井由香（ゆかい）、クマ、まよけゆき、ベニ、ゆっこ、もり、Yudz、fika、K.S.B.

◆ 校閲協力

大山隆景（TAR）、かんちゃん、369、KT、竹本龍介、zenzenyuzen、はっちゃん、薫彩子（Kayoko）、もり、Nabe、中原瑞帆、佐藤健翔（Naminori）、田中けんと、藤村真琴（まこっちゃん）、若生朋美（とも）、郡山薫平（ペー）、リル、小林直人（koba）、よっしー、板津有佳（ゆか）、木田裕己（だっち）、上坂智美、nui、止まれのキヨ、高峰光（KT）

◆ プロモーション協力

徳保七緒子（だりあ）、松原圭（けいちゃん）、ななくま、福満仁志、白鯔、若生朋美（とも）、中原瑞帆、足立あす香、タナベユウコ（なびぃ）、きりぃー、土志田拓郎、田中けんと、まよけゆき、横山未来、薫彩子（Kayoko）、なか、AIMUTA MAKI、竹本龍介、ピッピさん、保坂早苗（イデア）、nana、deep、マーチャン、中野利一（リーチ）、佐藤健翔（Naminori）、ベニ、Nabe、相牟田泰章、郡山薫平（ペー）、リル、はなみずき、どいけん、もり、中村聖子（きょん）、髙頭美緒、矼佳生、リョータロー

◆ コラム執筆協力

koten.book（第5章）、山本賜恩（第6章）、木田裕己（第7章）

◆ 後援

チーズ女子会

◆ 統括補佐

もり、木田裕己（だっち）、薫彩子（Kayoko）、フライハイト

◆ 制作・進行補佐

木田裕己（だっち）、しえる、カエサン、藤村真琴（まこっちゃん）

◆ 編集補佐・監修

koten.book

Illustration

松島由林

ilogo

田中末樹

office108

福士陽香

川原瑞丸

有村綾

Book Community Liber
https://bc-liber.com/about

アバタロー

書評YouTuber。
日本最大級のオンライン読書コミュニティBook Community Liber管理人。
早稲田大学文学部卒業。趣味である読書の延長として、
書評YouTubeチャンネルを立ち上げたところ2020年1月に大ブレイク。
「読書が苦手な人でも古今東西の難解な名著が
ラジオ感覚で楽しめるチャンネル」
として話題になり、登録者は33万人を突破。現在も自身のチャンネルを通じて、
読書の楽しさを伝えることを生き甲斐として、配信活動を続けている。
また、2022年4月からは音声プラットフォームVoicyでの配信も始め、
活躍の幅を広げる。著書には
『人生を変える 哲学者の言葉366』（きずな出版）
『自己肯定感を上げる OUTPUT読書術』（クロスメディア・パブリッシング）がある。

人生を変える 哲学者の言葉123

2023年4月30日 初版第1刷発行

編著者　アバタロー

発行者　櫻井秀勲

発行所　きずな出版
　　　　東京都新宿区白銀町1-13 〒162-0816
　　　　電話03-3260-0391
　　　　振替00160-2-633551
　　　　https://www.kizuna-pub.jp/

ブックデザイン　鳴田小夜子（KOGUMA OFFICE）

制作協力　Book Community Liber

印刷・製本　モリモト印刷

人生を変える
哲学者の言葉３６６

アバタロー 著
書評 YouTuber

1日1ページ形式で、哲学者の名言と周辺知識を学ぶことで、メンタルケア＆教養をインプット！ ギリシャ・ローマ哲学から現代哲学、宗教、東洋思想、心理学まで幅広く網羅。あなたの心を震わす名言がここに！

定価 1980 円（税込）

きずな出版
https://www.kizuna-pub.jp